Jazmín
Primer amor

Elizabeth
HARBISON

En los brazos del jefe

HARLEQUIN™

Editado por Harlequin Ibérica.
Una división de HarperCollins Ibérica, S.A.
Núñez de Balboa, 56
28001 Madrid

© 2006 Harlequin Books S.A.
© 2017 Harlequin Ibérica, una división de HarperCollins Ibérica, S.A.
En los brazos del jefe, n.º 8 - 17.8.17
Título original: Falling for the Boss
Publicada originalmente por Silhouette® Books.
Este título fue publicado originalmente en español en 2006

I.S.B.N.: 978-84-687-9925-4
Depósito legal: M-15496-2017
Impresión en CPI (Barcelona)
Fecha impresion para Argentina: 13.2.18
Distribuidor exclusivo para España: LOGISTA
Distribuidores para México: CODIPLYRSA y Despacho Flores
Distribuidores para Argentina: Interior, DGP, S.A. Alvarado 2118.
Cap. Fed./Buenos Aires y Gran Buenos Aires, VACCARO HNOS.

QUE le preguntara si estaba realmente segura de que quería hacerlo hizo que lo amara aún más; ¿qué chico de dieciocho años con una libido normal sería tan considerado? Meredith Waters sabía con certeza que, si le hubiera dicho a Evan que no estaba lista, que se había echado atrás, a pesar de que llevaban cinco semanas planeando aquella noche romántica, él lo habría aceptado.

Quizás habría tenido que darse una larga ducha fría, pero se habría conformado sin las típicas protestas masculinas, que iban desde las promesas rotas hasta las graves consecuencias médicas del deseo insatisfecho. La mayoría de los chicos eran unos auténticos idiotas.

Pero Evan Hanson no: él era la prueba de que los príncipes encantados existían realmente, aunque fueran escasos. Evan era su alma gemela, estaba segura. Aunque no se parecían en nada... él era alocado y ella conservadora, pero se complementaban el uno al otro. Además, coincidían en muchas de sus opiniones, tenían los mismos valores y las mismas metas.

Y, lo más importante, Meredith sabía que podía contar con Evan pasara lo que pasase. Los demás podían pensar que él era un irresponsable, pero ella sabía que siempre estaría allí para ella. Por eso estaba completamente convencida de que no se arrepentiría de lo que iban a hacer; tenía mucha suerte de que su primera vez fuera con un chico como Evan.

–¿Estás segura? –volvió a preguntar él, mientras acariciaba su brazo.

Yacían en la cama con dosel de ella, el uno frente al otro; los padres de Meredith estarían fuera cuatro días más, de modo que el escenario también era perfecto. Ella le sonrió, saboreando la visión de su atractivo rostro moreno como si él fuera un vaso de agua fría en un día de verano. La temperatura de la habitación era muy alta.

–Estoy segura –dijo, e inclinó la cabeza juguetonamente–. Pero me parece que *tú* no lo estás.

–Oh, yo estoy muy seguro –contestó él.

Evan la atrajo hacia sí, la besó profundamente y rodó sobre su espalda hasta colocarla encima de él; la envolvió con los brazos con tanta fuerza, que Meredith casi no sabía dónde acababa su propio cuerpo y empezaba el de él. Era una sensación maravillosa. Se besaron una y otra vez, como siempre hacían; a aquellas alturas, eran unos expertos. Él movía la boca hacia allí, ella hacia allá, sus lenguas se tocaban, y... ¡zas! Magia.

–Te quiero, Mer –susurró Evan, tumbándola lentamente sobre las sábanas de seda que la chica había comprado el mes anterior para la ocasión.

–Yo también te quiero –contestó ella automáticamente, sin rastro de duda–. Más de lo que podrías imaginar.

Él la miró con aquella sonrisa pícara que ella adoraba y apagó la lámpara de la mesita de noche; los ojos de Meredith tardaron un momento en acostumbrarse, pero cuando lo hicieron se dio cuenta de que un rayo de luna entraba por las cortinas y bañaba la cama. Todo era ideal.

Y así fue. Fue... simplemente perfecto

Después, tumbada mientras contemplaba cómo la luna ascendía y cruzaba el cielo como un gran balón plateado, Meredith se sintió más feliz que nunca. Sonrió en la oscuridad mientras Evan le susurraba lo hermosa que era, que quería pasar el resto de su vida junto a ella, y que si no iba a comprar algo para comer al Silver Car Diner enseguida le iba a dar algo.

Meredith pensó que aquella era la felicidad completa. Lo que no sabía en aquellos últimos instantes de bendita ignorancia, era que en dos meses Evan estaría a miles de kilómetros de distancia sin siquiera despedirse de ella, y que él no volvería la vista atrás en más de una década.

CAPÍTULO 1

–Y CON esto finaliza la lectura del testamento de George Arthur Hanson.

Evan Hanson permanecía inmóvil en la rígida silla de cuero, sintiéndose como una caricatura del hijo pródigo, dibujado con tinta invisible. Había regresado al redil, consciente de que era un error; algo en su interior le había advertido que aquello no podía acarrearle más que problemas, pero había ignorado a su instinto.

Se había equivocado al hacerlo.

Su tío, David Hanson, se había mostrado inusualmente persuasivo al convencerlo de que fuera a la lectura del testamento; David sabía que Evan había tenido una mala relación con su padre durante años, y que George no había vuelto a hablar con su hijo desde que este se fue. Sin embargo, David le había dicho que, aunque era tarde para arreglar las cosas con su padre, podía ir al menos a oír el último mensaje que su padre le había dejado, para intentar tener algo de paz.

Desde luego, todo había sido muy pacífico; de hecho, el mensaje de su padre había sido un rotundo silencio. George Hanson no había mencionado a su hijo en el testamento, ni siquiera para decir algo así como:

«Y a mi segundo hijo, Evan, no le dejo absolutamente nada. Cero. Ni una cuchara de acero inoxidable».

Era como si no hubiera existido para su padre... no, era aún peor; Evan conocía lo suficiente a su progenitor para saber que había dejado de existir para él cuando abandonó el país doce años atrás. O, más exactamente, cuando el mismo George hizo que se marchara, al someterlo a un terrible chantaje emocional. Desde entonces, cuando al parecer había conseguido lo que quería, George había borrado a Evan completamente de su vida.

Ignorar a alguien era un insulto peor que enfrentarse a él, y George había ignorado a su hijo con saña: no habían hablado en doce años. Evan admitía que parte de la culpa era de él, pero solo tenía dieciocho años cuando se fue, y su padre sabía perfectamente que había creado una situación por la que su hijo creía que le era imposible regresar.

George debería haberse dado cuenta de la crisis en la que había metido a su hijo adolescente, debería haber hecho algo paro ayudarlo, pero no estaba en su temperamento extender una rama de olivo en son de paz; sin embargo, incluso bombardear a Evan con aceitunas hubiera sido preferible al terrible silencio que había habido.

George no se había molestado en hacer nada, probablemente no había vuelto a pensar en su hijo mediano más de una o dos veces en aquellos doce años. Ojalá él pudiera tener el mismo control sobre sus sentimientos; habría querido olvidarse de su padre, y de lo difícil que había sido perder a su madre a los diecisiete años. Habría querido dejar atrás uno o dos desengaños amorosos... bueno, uno en particular, que lo habían moldeado en la persona que era: un hombre que no quería saber nada de su familia ni de relaciones íntimas de ninguna clase.

El abogado guardó los documentos y los familiares

de Evan empezaron a comentar el testamento, manifestando su indignación por lo que habían recibido o dejado de recibir, y porque George había dejado a su joven esposa el control total de su empresa, el grupo de comunicación Hanson Media Group. Pero a Evan no le importaba, nada de aquello era problema suyo; con la intención de dejarlo todo atrás, respiró hondo, se levantó de la silla y salió con paso firme de la habitación, decidido a no parar hasta llegar al aeropuerto y abandonar suelo norteamericano.

Debía de haberse convencido a sí mismo de que nadie se había dado cuenta de su presencia, porque cuando alguien lo llamó, no se dio cuenta.

–¡Evan!

Era una voz femenina que no reconocía, aunque aquello no era extraño; hacía más de una década que no oía las voces de las personas que había en aquella sala.

–Por favor, Evan, detente –insistió la mujer–; me gustaría hablar contigo un momento.

Evan se detuvo y se volvió; la mujer de su padre avanzaba por el pasillo hacia él, con expresión preocupada. Su cabello dorado enmarcaba su rostro como si hubiera sido pintado por Vermeer, y sus ojos verdes eran claros y vivaces. Obviamente, Helen Hanson era una esposa trofeo; solo faltaba que la colocaran en un pedestal de mármol. No la conocía, ya que su padre se había casado poco después de que él se fuera, pero dadas las circunstancias, era difícil sentir calidez alguna hacia ella.

–Sé que estarás enfadado por lo que ha sucedido hoy –dijo ella.

–No estoy enfadado –para su disgusto, Evan se dio cuenta de que su propio tono frío era parecido al de su padre; señalando hacia la sala, añadió–: lo que ha pasado ahí no ha sido una sorpresa; de hecho, es típico de tu marido.

–Entiendo que pienses así, pero no olvides que era tu padre, Evan, aunque creas que te ha rechazado.

Pensaba que no podía sentirse más dolido, pero las palabras de Helen se clavaron muy hondo.

–No creo que me haya rechazado, sé que lo ha hecho. Pero no te preocupes, no es la primera vez; y sabiendo lo malicioso que podía ser el viejo malnacido, probablemente no sea la última.

–Evan...

–Siempre encontraba la forma de expresar su disgusto hacia su familia –Evan soltó una risa seca–, será mejor que tengas cuidado, aunque la verdad es que no tienes nada de qué preocuparte; has heredado la empresa.

Helen dio un pequeño respingo y dudó antes de responder.

–Evan, la compañía pertenece a la familia Hanson, a todos, no solo a mí; siempre será así.

Él se rio con sarcasmo y miró hacia la sala de reuniones de las oficinas del Grupo Hanson, donde todo el mundo seguía discutiendo sobre el contenido del testamento.

–Intenta decírselo a ellos.

–Se darán cuenta con el tiempo –contestó Helen, quitándole importancia al asunto, pero observaba a Evan con atención–. Pero tú... bueno, parece que no vas a quedarte en Chicago el tiempo suficiente para que te des cuenta, a menos que alguien te detenga.

Él miró a Helen Hanson de arriba abajo; era una mujer hermosa, lo cual no era ninguna sorpresa, pero también tenía agallas.

–¿Es eso lo que crees que estás haciendo, detenerme?

–Eso espero –contestó ella, irguiéndose y mirándolo a los ojos.

–No malgastes tus esfuerzos –dijo él, moviendo la cabeza–. No me interesa lo más mínimo lo que le pase a esta maldita empresa.

–Pero debería –lo instó Helen–, no olvides que el testamento estipula que el veinte por ciento de la compañía o de sus ingresos pasarán a los nietos en veinte años.

Evan abrió los brazos y se encogió de hombros.

–Supongo que mi padre no te contó mucho sobre mí, así que quizás no sepas que no tengo hijos.

–Ya lo sé –dijo Helen; su expresión se había suavizado–. Pero solo tienes treinta años, Evan, no sabes qué pasará en el futuro; a lo mejor cambias de opinión.

Estuvo a punto de contradecirla, pero había visto cómo muchos incautos cometían el error de confiar en su soltería, y de repente la vida los sorprendía con algún giro inesperado.

–De acuerdo –dijo–, es verdad que no sé lo que va a pasar; pero si en el futuro tengo hijos, no necesitarán la fortuna contaminada de George Hanson.

–No permitas que los pecados de tu padre perjudiquen a tu hijo –dijo ella, y sonrió; a pesar de que fue un gesto breve y cargado de tristeza, el efecto fue deslumbrante–. O a tu hija.

Evan no creía probable que aquello sucediera, y le incomodó oír las palabras de Helen; sin embargo, no la contradijo, ya que no servía de nada.

–Me las arreglaré –dijo, y añadió reticente–: y mis hijos también.

–Por favor, reconsidéralo; no se trata solo del negocio, hablamos de tu familia, de tus hermanos. Existe una gran brecha que no pueden cerrar sin ti, eres parte de ellos.

Evan sabía que debería irse, pero la desesperación de la mujer lo intrigó. ¿Por qué le importaba tanto que un hombre al que no conocía se quedara o no? Seguramente, su marido le había dicho lo inútil que era su hijo mediano.

–¿Qué me estás pidiendo? –le preguntó.

–Querría que te quedaras –dijo Helen con voz sincera–; sé que te sonará raro, ya que no nos conocemos, pero me transmites buenas vibraciones. Me gustaría que me ayudaras... de hecho, *necesito* que me ayudes a devolverle a la empresa su antigua gloria.

Aquello fue totalmente inesperado. Si la mujer no se hubiera mostrado tan seria, Evan se habría echado a reír; en vez de eso, formuló la pregunta lógica:

–¿Por qué yo? Cuentas con todo el equipo –señaló hacia la sala de reuniones–, cada uno de ellos tiene más experiencia con la empresa que yo.

Helen echó una mirada hacia atrás y se acercó a Evan. Su delicado perfume la envolvía como una barrera protectora de... flores.

–No sé si van a quedarse después de saber las estipulaciones de tu padre. George era muy hábil manipulando las cosas.

Sí, Evan lo sabía muy bien.

–En fin –continuó ella rápidamente, como si se hubiera dado cuenta de que no debería haber dicho aquello–, no sé por qué, pero sé que puedo confiar en ti, Evan.

Él miró por encima del hombro de ella, pero allí no

había nadie. Casi deseó que no estuvieran solos, porque no estaba seguro de querer la confianza de Helen Hanson.

–Mira –le dijo un tanto inquieto–, no sé lo que tienes en mente, pero no puedo prometer que pueda ayudarte.

Ella lo observó con detenimiento por unos segundos antes de decir:

–Me preocupo por tus hermanos y por ti, me importa toda tu familia. ¿Me crees?

–Supongo que no tengo razones para no hacerlo –contestó él, encogiéndose de hombros.

Después de todo, Helen llevaba todas las de ganar; poseía el control de la empresa, así que no tenía necesidad de tratar con los Hanson. Si lo hacía, era por decisión propia. Ella sonrió y dijo:

–Bien. Entonces, confía en mí cuando te digo que la compañía te necesita.

–A la compañía le ha ido muy bien sin mí durante mucho tiempo.

–Lo cierto es que no –dijo Helen–. De hecho, el balance de los últimos años ha sido muy flojo.

–¿Las cosas han ido mal? –preguntó Evan, frunciendo el ceño.

–Lo suficientemente mal para que el escándalo del porno en la página web nos pusiera en números rojos.

Jack le había mandado un e-mail... ¿cuándo, hacía un mes, dos meses?, en el que decía que la familia debería involucrarse más en el negocio, pero Evan había pensado que se trataba de una artimaña para que volviera al redil. Nunca habría imaginado que su padre dejaría que la empresa se precipitara hacia la bancarrota. Aun así, ¿qué podía hacer él? Solo había trabajado en un pequeño bar de playa en Mallorca.

–Siento oír eso, de verdad –se encogió de hombros–, pero si quieres que la empresa resucite, no estás hablando con la persona adecuada, porque no soy un hombre de negocios. No es que no quiera ayudar, pero no tengo nada que ofrecer, de verdad.

–A lo mejor no, pero según tu padre, te gustan los riesgos. Y también me dijo que eres un hombre honesto. Eso es lo que Hanson Media necesita en estos momentos.

–¿Mi padre te dijo eso? –dijo Evan, atónito, y sonrió con ironía–. Sabes que mi padre era George Hanson, ¿no?

–Te quería más de lo que crees –dijo Helen, y su voz revelaba que creía lo que decía–. Hablaba bastante de ti, me dijo que te habías marchado muy joven y que vivías en el extranjero.

–¿Te dijo eso? –preguntó Evan, y la vio asentir.

–Él creía que volverías; durante años pensó que vendrías arrastrándote a pedir dinero, y cuando no fue así, se sintió impresionado.

Evan se avergonzó del nudo que se le formó en la garganta. Aún despreciaba a aquel hombre y lo que le había hecho, pero aunque solo fuera por su propia tranquilidad, quería creer que su padre no había sido tan indiferente, que no se había olvidado de él.

–No estaba tan impresionado como para intentar contactar conmigo.

–No –la mujer adoptó una mirada distante, y movió la cabeza–. Pero sabes tan bien como yo que el que no lo hiciera no tenía nada que ver con lo orgulloso que estuviera de ti. Se trataba de su propio orgullo, todo giraba en torno a su orgullo –añadió con voz suave.

Evan miró a la mujer de su padre con nuevos ojos. La mayoría de las mujeres en su situación habrían permitido que la familia se disolviera para quedarse con el dinero y el poder, pero Helen les estaba tendiendo una mano. Él tenía que elegir; llevaba hablando cinco minutos con ella, aún no se había liberado de la familia Hanson, y estaba considerando seriamente acceder a quedarse. Evan no estaba seguro de que aquello fuera una buena idea.

–Helen, ¿qué pasa exactamente?, ¿qué quieres que haga?

Ella respiró hondo, haciendo acopio de valor.

–De acuerdo, vamos directos al grano –dijo, y lo miró a los ojos–; la empresa está mal, pero aún no está acabada. Por muchas razones, que no son de tu incumbencia, quiero impedir que se derrumbe; tú tendrás tus propios motivos para quedarte. Es tu legado, y si alguna vez tienes hijos, será el suyo. Ahora es el momento de arreglar las cosas, y tengo un plan; si no funciona... –se encogió de hombros–, al menos no podrás decir que no lo intentaste.

–¿Y qué propones que haga un tipo como yo, sin experiencia en el sector?

–Muy fácil –se apresuró a contestar Helen–; eres inteligente, tienes conciencia social y has visto mucho mundo. Y, además, eres un Hanson.

Él se limitaba a escuchar, incapaz de darle la razón, temeroso a comprometerse.

–Así que te propongo que te hagas cargo de la sección de radio de Hanson Media Group.

Él lanzó una carcajada antes de darse cuenta de que ella hablaba en serio.

–La sección de radio –repitió, mientras pensaba en Rush Limbaugh y Howard Stern–. Yo.

–Sí –asintió ella, con sus ojos verdes fijos en él–. Creo que serías perfecto para el puesto.

–Sabes que no tengo ninguna experiencia en ese campo –dijo, y no pudo evitar volver a reír–. No sabría ni por dónde empezar.

–Teniendo en cuenta el reciente escándalo, creo que tu falta de experiencia sería una ventaja –Helen sonrió, pero sus ojos lo miraron suplicantes–; solo te pido que te quedes unos tres meses, que lo intentes. ¿Lo harás, Evan? Por favor.

Él consideró la oferta. Mallorca, Fiji o dondequiera que quisiera ir estarían en el mismo lugar en tres meses. Había ganado bastante al vender el bar de playa, su padre se habría sorprendido de saber que el inútil de su hijo era lo suficientemente listo para invertir sus ganancias. En todo caso, podía permitirse quedarse una temporada, al menos desde el punto de vista monetario.

La cuestión era si podía permitirse el precio emocional que tendría que pagar si se quedaba. De repente, recordó las palabras de su tío; David Hanson había intentado convencerlo de que volviera y arreglara las cosas con su padre meses atrás, antes de que fuera demasiado tarde.

«Piénsalo, Evan», había dicho David, «no tienes que hacerlo por George, sino por ti».

Aquellas palabras habían hecho que volviera, aunque demasiado tarde, y habían resonado en su mente al pensar en ver a su familia. ¿Quién sabía lo que sería de ellos? En ese momento estaban todos allí, trabajando juntos por un mismo objetivo, y él podía ayudar. Quizás fracasara, pero podía hacer las cosas lo mejor que supiera. Y si alguien no podía aceptarlo, no era su problema.

—De acuerdo —se oyó decir, aunque su instinto le decía que no lo hiciera, que echara a correr y que no volviera a mirar atrás–. Lo haré.

CAPÍTULO **2**

–BUSCO a alguien que se ocupe de la publicidad y de las relaciones públicas bajo la supervisión de mi cuñado –dijo Helen Hanson a la joven sentada frente a su elegante mesa de despacho.

Meredith Waters se sentía un tanto incómoda, preguntándose si sería apropiado o muy inapropiado mencionar su historia con la familia Hanson antes de que la entrevista de trabajo avanzara. Nunca había pensado que pisaría la compañía que George Hanson había creado, después de lo que aquel hombre le había hecho a su familia.

–Creo que coincidirás conmigo en que los beneficios son generosos –continuó Helen, y le alcanzó una carpeta; su mano era suave, su manicura perfecta, su apariencia impecable.

Meredith dio una ojeada a las hojas para que al menos pareciera que estaba interesada; cobertura médica y dental, dos semanas de vacaciones, dos más para asuntos personales... sí, las condiciones eran extremadamente generosas; había que estar loco para rechazar algo así.

Claro que ella habría aceptado el puesto de todas maneras, incluso si le ofrecieran el sueldo mínimo y media hora para comer una vez por semana. Simular que

dudaba era puro teatro, todo era un juego. Solo esperaba poder actuar sin que nadie se enterara.

–Me gustaría pensarlo –mintió; ya estaba lista–. ¿Podría contestar en uno o dos días?

–Me gustaría cubrir la plaza lo antes posible; como
sabrás, yo misma acabo de volver –dijo Helen, dubitativa, y señaló hacia unas cajas apiladas en una esquina–.
Acarreamos un gran escándalo que aún intentamos limpiar, y hay mucho trabajo por hacer; me parece bien que
tengas que pensarlo, pero entenderás que siga entrevis-
tando a otros candidatos.

Estaba claro que Helen era muy buena en aquel juego. Meredith apretó los labios, y contestó:

–No hay duda de que sabe cómo hacer una oferta imposible de rechazar.

–¿Eso significa que aceptas?

–Sí –Meredith sonrió y le ofreció su mano–; trato hecho, señora Hanson.

–Llámame Helen, por favor –estrechó su mano, muy
complacida–; me alegra mucho tenerte a bordo, Meredith. Trabajarás a las órdenes de mi cuñado, David Hanson, en relaciones públicas, pero me gustaría que pres-
taras especial atención a la sección de radio; ahora la
dirige Evan Hanson, el hijo de mi difunto marido.

¿Qué? ¡Aquello no entraba en el plan!

–Perdona, ¿has dicho Evan Hanson? –preguntó, sintiendo como si Helen la hubiera golpeado.

La mujer asintió con aire distraído mientras tomaba
una pluma de plata de un cajón.

–Sí, mi hijastro mediano, Evan.

Meredith se aclaró la garganta y dijo:

–Perdona, quizás los periódicos se equivocaban, pero... creía que Evan Hanson había renegado del negocio familiar y se había ido, hace ya mucho tiempo –doce años, si mal no recordaba.

Helen hizo una anotación en un bloc y volvió de nuevo su atención a Meredith.

–Es cierto, pero ha regresado y está trabajando con todos nosotros para lograr que Hanson Media tenga un gran éxito –dijo, y enarcó una ceja–; no es un problema, ¿verdad?

–No... pero no sé si lo he entendido bien –Meredith no quería que pareciera que alguien de la empresa podía ser su talón de Aquiles–; ¿quieres que me centre en una sección, no en toda la compañía? –no era lo que había creído al aceptar el trabajo, pero ya se había comprometido.

–Será un reto apasionante –dijo Helen, que al parecer no se había dado cuenta de la creciente tensión en Meredith–. Creo que lo disfrutarás; sí, surgirán algunas dificultades, pero presiento una vez que Evan y tú empecéis a trabajar juntos, todo irá bien.

¿Acaso era adivina?, ¿sabía más de lo que había revelado durante la entrevista?

–Debo admitir que no estoy acostumbrada a trabajar en radio –dijo, intentando ocultar su agitación–. Quizás sería mejor ocuparme de ello unas horas, para ir aprendiendo, y trabajar también en otras secciones.

–No te preocupes –dijo Helen, indulgente–; Evan no ha trabajado en nada relacionado con la radio tampoco, pero creo que os irá bien. Bob Smith contaba con años de experiencia, pero no pudo sacar la sección adelante, de modo que tenéis en vuestras manos un lienzo en blanco para pintar el futuro que queráis.

Normalmente, sería una oferta muy atrayente, pero en esa ocasión no era así.

–Aun así, es duro arreglárselas sin ninguna experiencia, y quizás resulte ser más un incordio que una ayuda para una sección de la que no sé nada.

Era obvio que aquello no preocupaba a Helen, ya que respondió:

–Tanto Evan como tú contaréis con el apoyo de personal muy competente, pero creo que esa falta de experiencia que tanto te preocupa va a permitiros pensar en ideas innovadoras.

Meredith tragó, pero el nudo en su garganta no desapareció. Eran nervios, siempre le daban problemas.

–De acuerdo, señora... Helen –no quería hacerlo, pero no tenía opción–. Haré lo que pueda.

Helen le ofreció una amplia sonrisa que reveló unos dientes perfectos.

–¡Estupendo! Me alegro mucho de que te unas a nosotros, estoy segura de que vas a realizar un trabajo fantástico.

–Muchas gracias, estoy encantada de aceptar el puesto.

Meredith deseaba poder sentir la mitad del entusiasmo de Helen, pero se sentía insegura sobre el rendimiento que daría en el trabajo, y eso era algo a lo que no estaba acostumbrada. No se trataba únicamente de las especificaciones del puesto, ya que sabía hacer su trabajo con independencia de los detalles. Aquello se le había explicado con claridad, y sabía que podía hacerlo bien. Lo que la preocupaba era hacer bien su trabajo estando tan cerca del hombre que no había dudado en dejarla tirada.

***

Helen informó a Evan de que había contratado a alguien nuevo para el departamento de relaciones públicas, alguien que concentraría sus esfuerzos en promover la nueva imagen de Hanson Broadcasting, la sección de radio de la empresa. Él se alegraba de ello, porque con la ayuda del personal de la compañía había conseguido contactar con tres estrellas de las ondas; dos de ellas ya habían firmado sus contratos, pero no tenía ni idea de cómo promocionarlas.

Esa era la función de la gente del departamento de relaciones públicas, que al fin y al cabo eran los profesionales; la radio debería resultarles fácil: un concurso por allí, un anuncio por allá... con eso bastaría. La radio era libre, y se vendía a sí misma, así que seguramente la reunión con el subordinado de David sería solo informativa sobre los planes que ya se habían trazado.

Al menos, eso era lo que Evan creía, hasta que el subordinado en cuestión apareció en su oficina a la una en punto. Meredith Waters. Lustroso cabello castaño, con reflejos rojizos que brillaban como cobre al sol; pálida piel irlandesa que había heredado de su madre; ojos verdes, y una boca generosa. Evan nunca había visto una sonrisa tan radiante, capaz de convertirse, en solo un segundo, en una curva sensual capaz de enloquecer a un hombre.

La habría reconocido donde fuera, cuando fuera, aunque no la había visto en... doce años y medio. Estaba grabado a fuego en su mente, ya que fue la noche en que se marchó de Estados Unidos. La noche del baile de graduación. Él no había llegado a ir, claro, y esa era una de las razones por las que aquel encuentro resultaba tan incómodo.

La última vez que había visto a Meredith Waters, fue a través de la ventana de su habitación; ella estaba sentada delante de su tocador, retocándose el maquillaje y el peinado para ir al baile con una pareja que no iba a aparecer: Evan. La imagen lo había perseguido desde entonces: Meredith, vestida con un vestido de tirantes azul que mostraba sus pálidos hombros, cremosos y tentadores. Él podía sentir aquellas curvas en sus manos vacías.

Entonces, como en ese momento, reconoció la belleza dulce e inocente de aquella mujer; ella había tenido una vida difícil, con muchos golpes duros, a pesar de todos sus esfuerzos. Sus padres también habían sufrido a manos del destino y, por desgracia, también por culpa de George Hanson, aunque eran una buena gente que merecían algo mejor.

Evan había creído que a ella le iría mejor sin él, pero al parecer no había sido así. Y para cuando se enteró de lo sucedido, era demasiado tarde para volver y arreglar las cosas. Desearía haber tenido entonces el conocimiento que daban los años, pero en vez de estar a la altura, se había marchado. Su propia madre había muerto recientemente, y probablemente aquello había acrecentado su confusión; ya no había nadie que intercediera por él, nadie que le ofreciera una pizca de calidez en un hogar que nunca había considerado un hogar.

Evan sabía que, de haberse quedado, se habría vuelto tan amargado y resentido como el viejo, ya que eran muy parecidos en varios aspectos; en vez de hacerle eso a Meredith, o a sí mismo, había seguido su propio camino. Hasta ese momento, no se había parado a lamentar su decisión.

–Hola, Evan, ha pasado mucho tiempo –dijo ella.

Su voz era suave y modulada, familiar y desconocida a la vez, y él estaba tan paralizado por la sorpresa... no, por la impresión, como si estuviera viendo un fantasma. Y era así, de alguna manera; Evan sentía la necesidad de decir algo profundo, pero solo pudo pensar en una palabra:

–¿Meredith?

Ella asintió, pero su hermosa boca no sonrió.

–Veo que me reconoces –dijo.

–Claro que te reconozco. Estás... –en su mente, resonaron las palabras «hermosa, sensacional, atormentadora», pero se limitó a decir–: estás como siempre.

Pero no era cierto. Meredith parecía una elegante y sofisticada versión de la chica de antaño. La situación era muy embarazosa, pero Evan no sabía qué decir; por desgracia, las incómodas pausas no le daban el tiempo suficiente para pensar en algo concreto. Ella sonrió, y por un momento él pudo ver a la muchacha que conocía dentro de la mujer.

–Está claro que no esperabas verme –dijo ella, sin rastro de timidez en la voz–; esperaba que la señora Hanson te hubiera informado de mi llegada.

–¿La señora Hanson? –aquello no tenía ni pies ni cabeza.

–Sí, Helen Hanson –asintió Meredith–, me ha contratado para el departamento de relaciones públicas, y me ha pedido que te ayude a promocionar esta sección.

Tras una pausa que cayó entre ellos como una pelota

de tenis y rebotó incómodamente durante unos segundos, Evan preguntó:

–¿Hablas en serio? –¿cómo era posible? De todas las personas posibles y todos los empleos disponibles, ¿por qué había contratado Helen a Meredith para trabajar con él?

–Sí. ¿Es un problema para ti? –preguntó ella; su sonrisa se había helado en su rostro.

Claro que era un problema. Ya era bastante duro estar de vuelta en Chicago y trabajar para la empresa familiar; se estaba dando de bruces con recuerdos, muchos de ellos desagradables, a la vuelta de cada esquina. ¿Pero aquello?, aquello era demasiado.

–No, no hay problema –mintió, y forzó lo que esperaba pareciera una sonrisa tranquila, aunque él se sentía como si estuviera haciendo una mueca–. Lo siento, debo parecer maleducado, pero es que he pasado más de doce años fuera de Chicago, y aún estoy intentando orientarme. Estoy encontrando a mucha gente que no había visto en mucho tiempo, y cada vez que recibo uno de esos destellos del pasado me desconcierto un poco.

–Lo entiendo –dijo Meredith con un tono frío y profesional.

Estaba claro que ella había dejado muy atrás a la chica desgarbada que él había conocido, y se mostraba totalmente indiferente. Obviamente, aquello no era personal para ella. Maldición, quizás ella ni siquiera recordaba lo que habían sido el uno para el otro.

O quizás él se lo había imaginado, a lo mejor aquel golpeteo en su pecho al verla no era más que el recuerdo de un sueño. La vida de Evan había dado unos giros tan surrealistas, que a aquellas alturas no estaba seguro de nada.

–Espero que podamos superar cualquier incomodidad y trabajar juntos de forma efectiva –continuó Meredith, pero su voz reveló una ligera vacilación.

–Desde luego.

–Bien. Entonces, empecemos con el plan para incrementar la popularidad de Hanson Broadcasting –la mujer consultó su reloj–, ¿tienes tiempo para hablar ahora? Me gustaría conocer tus planes para poder empezar con mi trabajo lo antes posible.

Evan no podía hablar de aquello en ese momento, necesitaba tiempo para aclararse las ideas. Ya había empezado a trazar varios proyectos, pero llevaría algo de tiempo discutirlos, incluso si Meredith no fuera su interlocutora; el hecho de que fuera ella... Evan necesitaba tiempo para hacerse a la idea.

–Tengo una reunión dentro de poco –dijo él, intentando parecer pesaroso en vez de poco preparado–; ¿podemos quedar esta tarde?

–No, le dije a David que estaría libre para hablar con él –contestó ella.

Otra pausa se extendió entre ellos.

–Quizás mañana... –empezó Evan.

–Estoy libre a la hora de comer –sugirió Meredith al mismo tiempo.

Se miraron por un segundo antes de que Evan dijera:

–La hora de la comida me va bien.

–De acuerdo, genial.

–¿Qué te parece el Silver Car Diner a eso del mediodía?

Evan se arrepintió en cuanto pronunció las palabras,

ya que habían ido juntos a aquel sitio muchas veces en el pasado; había sido el primer sitio en el que había pensado, por su antigua familiaridad con él, pero no habría podido elegir un sitio con más valor sentimental a menos que hubiera sugerido el asiento de atrás de su antiguo Chevy Monte Carlo. Antes de que pudiera sugerir algo menos personal, Meredith asintió y dijo, con una mirada que revelaba sorpresa:

—De acuerdo, suena bien.

—Genial –Evan buscó unos papeles para poder enderezarlos–. Te veré allí al mediodía.

Ella le dirigió una breve sonrisa, asintió y se volvió para marcharse. Evan siguió ordenando el montón de papeles, siguiéndola con la mirada disimuladamente, hasta que por fin estuvo fuera de su vista. Trabajar con ella no iba a ser nada fácil.

Meredith había sentido los ojos de Evan sobre ella mientras se marchaba, y por un momento había tenido miedo de revelar su nerviosismo tropezando o dando un traspié. ¿Cómo iba a poder trabajar con él?, ¡era absurdo! Si no estuviera tan comprometida, habría renunciado al trabajo en cuanto supo que él estaba involucrado, pero muchas personas contaban con ella. Había más en juego que ocuparse de las relaciones públicas de Hanson Media Group.

Antes de aceptar el empleo, había hecho algunas indagaciones, y se había enterado de que Evan estaba viajando por Europa y el Caribe. Meredith había tenido la precaución de asegurarse de que él no estaría cerca si ella tenía que involucrarse con la compañía de su familia. Pero no se le había ocurrido que él acabaría volviendo justo cuando la habían contratado; Meredith habría apostado todo lo que tenía a que él no estaría allí.

Cuando regresó a su puesto, David Hanson la vio y le preguntó:

—¿Todo va bien?

—¿Qué? Oh, sí, todo bien; solo estaba pensando.

David pareció escéptico; Meredith ya había aprendido que no era fácil engañarlo.

—¿Estás segura? —insistió—; ¿puedo ayudarte en algo?

—De hecho, me iría bien alguna información sobre el rendimiento de las cadenas de televisión —contestó ella con una sonrisa.

—Creía que trabajabas con Evan en la radio —contestó él con expresión confundida.

—Sí —se apresuró a decir ella—, pero creo que sería útil saber cómo le va a la empresa en otras áreas; quizás podamos aprender de los éxitos y los errores de otras secciones.

—La empresa no va demasiado bien en ningún terreno —David soltó una risa seca—, pero a la televisión le va bastante bien. Hemos producido una serie sobre médicos que ha tenido bastante éxito, y en otoño regresa a las pantallas *Corre por tu vida,* un reality show.

—Ah —Meredith asintió y tomó nota mental—. Es su tercera o cuarta temporada, ¿verdad?

—La quinta.

Cinco temporadas... parecía bastante sólido. Su jefe se alegraría de saberlo.

—¿Y sus beneficios publicitarios son similares a los de otros programas de éxito?

—Por supuesto. De hecho, el año pasado *Corre por*

tu vida se emitió después de la final del campeonato de fútbol, y la publicidad funcionó muy bien. Puedes hablar con Bart Walker, si quieres los detalles; no sé si te servirá para la radio, pero puede darte algunas ideas.

—Me interesa obtener detalles de toda la compañía —afirmó Meredith con una sonrisa—. Cuanta más información tenga, mejor podré realizar mi trabajo.

David la contempló con una mirada penetrante y asintió.

—Suena bien; tenemos una asistente de administración llamada Marla, que es muy buena a la hora de buscar información. Podrías pedirle que reúna algunos datos para ti.

Meredith pretendía hacer todas sus averiguaciones ella misma, pero no quería darle una mala impresión a David, ni parecer una sabelotodo. En especial porque ya sabía más sobre la compañía de lo que debería.

—Gracias por el consejo —dijo, sonriendo mientras se dirigía hacia su despacho—; hablaré con ella esta misma tarde.

—Lo que me recuerda que voy a estar fuera hoy —dijo el hombre, que aparentemente no sospechaba nada—; si tienes cualquier pregunta, puedes llamarme al móvil.

Meredith respiró hondo y miró sobre su hombro, temerosa de que Evan estuviera allí y descubriera que había mentido sobre su reunión con David, pero detrás de ella no había nadie. Con la esperanza de que su doble juego no se le reflejara en el rostro, contestó:

—No te preocupes; puedo arreglármelas sola o buscar a alguien que me ayude si lo necesito, no hay problema —intentó proyectar una confianza absoluta que no sentía—. Ningún problema en absoluto.

CAPÍTULO **3**

¿POR qué había elegido Evan aquel sitio? Quizás para él no tenía el mismo eco melancólico que para ella. Además, tampoco pasaba nada del otro mundo; al fin y al cabo, aquello había sucedido mucho tiempo atrás. El que hubiera sido su primer amante probablemente hacía que la relación tuviera más peso en su memoria. Habían pasado doce años, pero algunos recuerdos parecían del día anterior.

–Te quiero –un Evan de dieciocho años le había dicho a Meredith, de diecisiete, mientras entraban en el Silver Car Diner a las tres de la madrugada.

–Me lo imaginaba –había sonreído ella, aún lánguida tras la calidez de sus caricias, a pesar del frío exterior–. Si no, nunca habría... ya sabes, nunca habría hecho lo que acabamos de hacer.

–Yo tampoco.

–Mentiroso.

Él sonrió con aquella maravillosa sonrisa pícara que hacía que a ella se le desbocara el corazón.

–Puede que lo hubiera hecho –admitió.

–Claro que sí –sonrió ella, segura de que él la amaba, y de que nada más importaba.

–Vale, pero no importa porque te quiero –dijo él, como si le hubiera leído la mente.

–Yo también te quiero, y lo sabes –dijo Meredith, emocionada por el sabor de aquellas palabras en su propia boca. Llevaba un año con Evan, pero aún sentía el cosquilleo del enamoramiento; por eso sabía que aquello era amor de verdad.

Evan apretó su mano, y una camarera les condujo a su mesa preferida en un rincón y les tomó nota; cuando se marchó, él metió una moneda en la máquina de discos. Sus ojos se encontraron y, como solían hacer, él eligió una letra al azar, ella hizo lo mismo con un número, y esperaron a ver lo que sonaba. Aquella vez fue Jerry Lee Lewis cantando *Breathless*. Perfecto.

–¿Así que sabes en qué estoy pensando? –preguntó Evan.

–Probablemente en lo mismo de siempre –contestó ella con una risita–. Pero, ¿podemos comer algo antes? Estoy hambrienta, y no hace ni media hora que me dijiste que te morirías si no venías a comer algo –Meredith fingió soltar un suspiro exasperado–; Incluso donjuán descansaba de vez en cuando.

Evan puso los ojos en blanco y contestó:

–No me refería a eso... aunque estoy listo cuando quieras, claro, pero iba a decir que quizás deberíamos casarnos después de la graduación.

Meredith se había quedado sin aliento; la excitación la invadió como burbujas de champán.

–Te refieres a después de la universidad.

–No, al acabar el instituto. ¿Por qué no? Es lo que vamos a hacer, ¿por qué esperar?

Algo le dijo a Meredith que a lo mejor aquello no

era una buena idea, pero en aquel momento no podía pensar por qué.

–¡Nos graduamos dentro de dos meses!

–Genial –él alargó el brazo por encima de la mesa y tomó su mano–. Cuanto antes, mejor. Vamos a hacer que tu vestido de baile sea uno de novia.

–Venga ya.

–Vale, iremos al baile y tú puedes ponerte otra cosa para la boda, ¿qué me dices?

Meredith se habría escapado con él en aquel mismo instante, pero alguien tenía que ser la voz de la razón, ¿no?

–¿Y en qué trabajaríamos?, ¿dónde viviríamos?

–No habría problema –contestó él, encogiéndose de hombros–. Podríamos quedarnos y trabajar aquí, claro, pero ¿qué te parece si nos vamos a Grecia?, ¿por qué no nos quedamos allí un año? Podríamos trabajar en un bar por la noche y tomar el sol todo el día, hacer lo que quisiéramos, cuando nos viniera en gana –añadió con intención.

Meredith suspiró. Aquello sonaba ideal.

–De verdad, Mer, hablaría con tus padres ahora mismo si estuvieran en la ciudad –añadió él.

–Si no se hubieran marchado, no estaríamos aquí –rio ella–; y no habríamos podido... –dudó antes de continuar–: hacer lo que hemos hecho.

Él entrelazó sus dedos con los de ella y la miró a los ojos.

–Y no podríamos volver a tu casa y pasar toda la noche juntos –dijo.

Pasar la noche juntos. Meredith le dio vueltas a la idea; podría dormir en los brazos de Evan y despertar junto a él, ver sus ojos y su sonrisa antes que nada por la mañana. Dios, lo amaba.

—Ojalá pudiera ser así cada noche —comentó.

—Es posible —insistió él—, y será una realidad, ya lo verás.

Cuando las cosas parecían demasiado buenas para ser verdad, Meredith se mostraba escéptica; siempre había algo en su interior que la avisaba de que podría sufrir una decepción.

—Eso espero —dijo con tono soñador.

En vez de contestar, Evan la había besado; en aquel entonces, ella había interpretado el beso como una promesa. Pero la Meredith adulta sabía lo equivocada que había estado.

Cuando Evan y Meredith entraron juntos en el restaurante para discutir los mundanos detalles de Hanson Media, el familiar aroma de hamburguesas y gofres asaltó los sentidos de ella, que tuvo que recordarse que debía mantenerse fría y profesional. Era difícil olvidar el pasado que compartían en ese lugar, pero si Evan podía mostrarse indiferente, ella también. Como no tenían otra opción que trabajar juntos, debía procurar evitar añadir una incomodidad innecesaria a la situación.

—Vaya, este olor me devuelve al pasado —dijo Evan, respirando hondo mientras seguían a una camarera hasta una mesa—. He echado esto de menos, es difícil encontrar comida así en Europa.

Meredith pensó que él había perdido mucho más que comida al marcharse, pero no lo dijo.

—Claro —comentó mientras se sentaba frente a él en

el frío asiento de vinilo. Se sentía como una actriz elegida por error a interpretar una película sobre su vida–. Pero estoy segura de que Europa tenía sus ventajas.

–Sí, la principal era que estaba lejos de aquí –Evan miró hacia la máquina de discos y movió la cabeza–. Dios mío, aún tienen a Jerry Lee Lewis; pensaba que la habrían actualizado.

–La máquina solo funciona con discos de 45 rpm –puntualizó Meredith, sonando instructiva y estirada a sus propios oídos–. No se pueden poner CDs.

Él la miró, divertido, y comentó:

–Me fui del país, Meredith, no del planeta; sé cómo funciona una máquina de discos –sonrió, y añadió–: aunque ahora ya hacen unas que funcionan con CDs.

Evan se metió una mano en el bolsillo y sacó unas monedas, las dejó sobre la mesa, y preguntó:

–¿Aún cuesta veinticinco centavos?

Meredith miró la máquina, y por un momento sintió que estaba viendo una película sobre su propia vida. ¿Cuántas veces habían ido allí juntos? Probablemente, en el pasado había mirado hacia la máquina desde aquella misma mesa. Sí, aún eran veinticinco centavos. Como siempre. Ojalá el resto de su vida fuera tan estable.

–¿Estás bien?

La pregunta del hombre la devolvió a la realidad, y contestó:

–Sí, gracias; estaba pensando en el trabajo.

–Esto hará que dejes de hacerlo –Evan puso una moneda y dudó por un segundo antes de marcar la C y el 7–. Así pensarás en los deberes de matemáticas –dijo, riendo ligeramente.

Una canción de los Platters empezó a sonar por los

pequeños altavoces; Meredith la reconoció, porque había sido una de las favoritas de su abuelo. Evan lo sabía... ¿sería demasiado presuntuoso pensar que la había elegido por eso?

–No eres la única con buena memoria –dijo él, como contestando a su pregunta silenciosa.

–¿Qué quieres decir? –preguntó ella. Con Evan, no iba a dar nada por sentado.

–Elegiste esta canción mil veces en el pasado –dijo él, haciendo un gesto hacia la máquina.

Ella cambió de postura, para que su posición erguida denotara una falta de sentimentalismo.

–Es gracioso, pero no me acuerdo de eso.

–Sí que te acuerdas.

–¿Qué?

Él ladeó la cabeza y afirmó:

–Tenemos un pasado, Meredith; no hay forma de borrarlo, sin importar lo mucho que te gustaría hacerlo. No podemos pretender que no nos conocemos.

–Es que no nos conocemos –dijo ella, demasiado deprisa. Sonaba a la defensiva... estaba a la defensiva. Tenía que poner las cosas en perspectiva.

Él se encogió de hombros mientras jugueteaba con un sobre de azúcar.

–En el pasado nos conocíamos muy bien.

–¿Estás seguro de eso, Evan? –lo miró directamente a los ojos, aunque se sintió flaquear–. Está claro que no era una relación tan estrecha ni especial, porque te fuiste sin un triste adiós.

–No fue por ti, Meredith.

Hasta entonces la mujer había conseguido fingir indiferencia, pero en ese momento perdió los estribos.

–No tengo ni idea de por qué fue, Evan.

–Era algo que tenía que ver conmigo, con mis propios asuntos. Lo siento si te hice daño.

¿Eso era todo? Después de todos aquellos años, ¿esa era la disculpa que recibía? «Lo siento si te hice daño»... como si hubiera habido alguna posibilidad de que no fuera así. Como si quizás ella no se hubiera dado cuenta, con diecisiete años, de que el chico al que adoraba, con el que creía que pasaría el resto de su vida, se había esfumado. Dios, había estado tan segura, equivocada pero segura, de lo que él sentía por ella, que los seis primeros meses había insistido en que a Evan le había pasado algo.

Lo había imaginado herido en alguna parte, necesitado de ayuda... aquellos temores la habían atormentado noche y día. No podía comer, ni dormir, ni concentrarse en nada. ¿Y en ese momento le decía que lo sentía si le había hecho daño?

–No tuvo que ver solo contigo –dijo, escondiendo la indignación y la incredulidad que sentía.

–¿Qué quieres decir?

Si él no lo sabía, Meredith no quería tener que explicárselo. De todas formas, era agua pasada... no podía contarlo sin parecer una perdedora desesperada que había permanecido anclada en el pasado todo ese tiempo. No sabía cómo explicarle lo que había sentido la chica que había confiado y se había entregado a él, que había creído que podía contar con él, al descubrir que la realidad que había vivido durante dos años y medio era solo una ilusión.

Además, se había dado cuenta después de pasar por un infierno de preocupación innecesaria al temer que le hubiera pasado algo. Podría parecer algo banal para los demás, pero a ella le había cambiado la vida.

–Quiero decir que debemos mantener esto a un nivel profesional –aclaró ella–; lo que teníamos, acabó hace mucho tiempo, y abrir viejas heridas no va a ser bueno para ninguno de los dos.

–Tienes razón.

–Como he dicho antes, ya no nos conocemos, y avanzar pretendiendo lo contrario, basándonos en una información desfasada, sería contraproducente.

Él dudó un momento, mirándola con detenimiento, y dijo:

–De acuerdo; solo profesional, nada personal. Entendido –dejó a un lado la carta del menú–, ya sé lo que quiero, ¿y tú?

Meredith quería salir de allí lo antes posible, así que dejó su menú junto al de él y dijo:

–Tomaré solo una hamburguesa con queso.

–Mediana, con queso *cheddar* y sin cebolla, ¿verdad? –Evan no sonrió, pero no hizo falta; sus ojos decían claramente que había ganado un tanto.

El corazón de Meredith se lo concedió; aunque no lo hubiera admitido, ni ante Evan ni ante nadie, no había cambiado tanto desde su adolescencia. Básicamente, Meredith Waters había sido siempre la misma: tenía gustos sencillos, una buena ética de trabajo y era constante. La única diferencia real, cortesía del propio Evan, era que su corazón era muy cauto.

Meredith Waters estaba decidida a no volver a enamorarse.

CAPÍTULO 4

–ERES una persona estable –le dijo Evan–. Eso es algo bueno.

–Tienes razón –lo miró sin alterarse–, es una cualidad que he aprendido a apreciar en la gente.

–Eso no es un comentario personal, ¿verdad? –dijo él tras una ligera pausa.

–Verdad. Era solo un comentario general –Meredith sabía que no había sonado nada convincente, y se alegró de la interrupción cuando apareció la camarera para tomarles nota.

En cuanto la mujer se fue, Meredith intentó redirigir la conversación, o al menos apartarla de la dirección que había tomado.

–Bueno, hablemos de tus planes para Hanson Broadcasting. Quieres cambiar el formato, ¿no?

Él dudó por un instante antes de tomar el nuevo tema; finalmente, dijo:

–Es difícil hacer algo único en radio hoy en día, pero creo que si nos pasamos a las tertulias, con intervenciones de los oyentes, podemos acaparar el mercado si conseguimos o desarrollamos talentos de éxito.

–Pero es muy arriesgado –comentó Meredith, contenta de volver a asuntos menos íntimos. Del trabajo sí que podía hablar con él, era algo de lo que podía hablar con cualquiera–. En cuanto supe que querías pasar a ese formato, hice algunas averiguaciones; casi todas las cadenas de radio que han tenido éxito con esos programas, tenían locutores irreverentes y bastante desmadrados.

Dudó un momento, esperando que él dijera algo, pero Evan solo asintió. Meredith continuó:

–Aunque existe un beneficio potencial, los riesgos tienden a ser muy elevados –especialmente teniendo en cuenta su propio empleo, pensó Meredith. Sería muy difícil hacer un buen trabajo si tenía que estar apagando escándalos por comentarios obscenos en vez de concentrarse en recabar información sobre la empresa.

–¿A qué riesgos te refieres? –preguntó Evan.

Ella eligió con cuidado sus palabras antes de decir:

–Muchos de esos locutores no siguen las normas; quieren ser escandalosos, para que la gente hable de ellos y los escuche.

–Si queremos buenas audiencias, necesitamos gente dispuesta a ir por todas –dijo él.

Meredith frunció el ceño. Al parecer, lo que a ella le parecía un riesgo, para él era una ventaja.

–¿Hasta dónde estás dispuesto a llegar, en quién has pensado?

–Llegaré hasta donde haga falta, y he pensado en varias personas. Para los deportes ya cuento con Bill Brandywine y Zulo Gillette, pero lo mejor es que he hablado con Lenny Doss para que se ocupe de las mañanas, y creo que puedo conseguir que acepte.

De repente, el aire acondicionado pareció descender varios grados.

–Lenny Doss –repitió Meredith; aquel nombre había aparecido varias veces en sus investigaciones. También había oído hablar del dúo que se ocuparía de los deportes; no le acababan de gustar, pero eran bastante inofensivos–. Estás de broma.

–No –parecía muy satisfecho de sí mismo–, solo tuve que hacerle una buena oferta.

Meredith se sentía cada vez más alarmada, y él no parecía darse cuenta.

–Evan, no puedes contratar a Lenny Doss.

–¿Por qué no? –preguntó él.

«¿Es que tengo que deletreárselo?», pensó ella, y explicó:

–Es muy problemático; la última empresa que lo contrató acabó pagando a la Comisión Federal de Comunicaciones más de medio millón de dólares en multas.

–Te refieres a cuando soltó aquella palabrota en antena –asintió él.

–No... bueno, sí, pero hay más –no podía imaginarse lo que costaría limpiar los destrozos de Lenny Doss–. También instó a sus oyentes a que fueran al Monumento a Washington y...

Evan la interrumpió levantando una mano y dijo:

–Conozco la historia, y tienes razón, es inexcusable; pero no va a volver a suceder.

Meredith no podía creer que aun sabiendo todo aquello quisiera contratar a aquel tipo.

–Evan, si lo contratas, corres el riesgo de acabar con Hanson Media Group.

Él la miró, y la tensión de su mandíbula dejó claro que se sentía frustrado. A Evan Hanson nunca le había gustado que le dijeran que no podía hacer algo.

–Soy consciente de los riesgos –dijo él–. Quizás sea

nuevo en el negocio, pero en cuanto Helen me contrató, me informé bien y me rodeé de gente muy competente.

—No digo que no puedas hacer tu trabajo —contestó ella—; lo que quiero decir es que... —¿qué quería decir?, ¿cómo podía acabar la frase sin parecer aún más hostil? Al fin, añadió—: que si haces lo que has planeado, vas dificultar mucho mi trabajo.

—Una respuesta muy diplomática —sonrió Evan tras observarla por unos segundos.

Afortunadamente, los interrumpió la llegada de la comida.

—Qué rapidez —comentó Meredith con alivio cuando el joven ayudante de camarero puso un plato frente a ella con un pequeño golpe. Una patata frita cayó fuera, y manchó de salsa la mesa.

—Lo siento —se apresuró a decir el muchacho; se inclinó para limpiarla, pero estuvo a punto de volcar el vaso de agua de Meredith.

—No te preocupes, no pasa nada —dijo ella rápidamente; de reojo vio que Evan apartaba un poco el plato, antes de que el chico lo tirara accidentalmente.

Era gracioso que pudieran formar un buen equipo en pequeños detalles, o al menos trabajar en armonía para salvar un plato, pero que discreparan en casi todos los asuntos importantes.

—Ya nos ocupamos nosotros —dijo Evan, para que el chico se marchara.

—Gracias —añadió Meredith.

Cuando el muchacho se fue, Evan volvió a centrar su atención en ella; sonriendo, dijo:

—Juraría que es el mismo chico que trabajaba aquí cuando nosotros veníamos, no ha envejecido.

El corazón de ella dio un vuelco al ver la sonrisa del hombre; devolviendo el gesto, comentó:

–Siempre hay un chico así en esta clase de sitios; creo que hacen un casting para encontrarlos.

Ambos rieron, y por un momento la tensión desapareció; sin embargo, volvió cuando Evan dijo:

–Bueno, ¿dónde estábamos?

–Creo que estaba intentando convencerte de que contratar a Lenny Doss sería una locura, y tú te estabas mostrando terco al respecto –contestó Meredith mientras jugueteaba con las patatas.

–Ah, sí –Evan volvió a sonreír, y la tensión disminuyó un poco–. No te andas por las ramas.

–No cuando hablo tan en serio como en este momento.

Él dejó escapar un largo suspiro y dijo:

–Meredith, puede que funcione, y de ser así beneficiaría mucho a la imagen de la empresa. Necesitamos que se nos tome en serio, y esta es una buena oportunidad para conseguirlo.

–Estoy de acuerdo con tu teoría, pero tus métodos no me convencen –dijo ella–. ¿Estás dispuesto a seguir adelante con tu plan, y arriesgarte a que te estalle en la cara? –el aire acondicionado se detuvo a media frase, y Meredith se dio cuenta de que estaba casi gritando para que la oyera; en voz más baja, añadió–: ¿realmente quieres ser el culpable de que toda tu familia se venga abajo?

Evan golpeteó con los dedos en la mesa; su rostro, que antaño ella conocía tan bien, pero que en ese momento parecía el de un extraño, se volvió ceñudo. Sus ojos parecieron oscurecerse.

–Sí, Meredith, estoy dispuesto a correr ese riesgo; y, con el debido respeto, no creo que sea asunto tuyo.

–Pero es que precisamente esos asuntos son mi trabajo. Mi departamento ya tiene bastante intentando salvar la imagen de la empresa después del escándalo del porno, agregar a Lenny Doss sería intentar apagar el fuego con gasolina.

Con expresión imperturbable, Evan movió la cabeza y tomó un enorme bocado de su hamburguesa; de repente, Meredith empezó a comprender la situación, y exclamó:

–Dios mío, no te importa, ¿verdad?

Él elevó una ceja en ademán interrogante, pero ella conocía aquel gesto; la estaba invitando a que dijera lo que sabía, para poder confirmarlo o negarlo.

–No te importa si la empresa se derrumba –dijo, pensando en voz alta–. Te sentirás satisfecho si tienes éxito, pero si no es así... –ella estudió el rostro masculino, y dijo al fin–: por Dios, Evan, no te importa si fracasas, ¿verdad?

El momento de silencio pareció tan largo que Meredith sintió como si hubiera pasado cinco minutos sentada allí mirándolo, con el ruido de fondo de los cubiertos y los platos, del griterío y las risas a su alrededor. Estaban en un punto muerto y él no iba a retroceder... pero ella tampoco.

–Siempre te dio miedo arriesgarte, ¿verdad? –dijo Evan al fin.

–¿Qué?

–Dices que no debería hacerlo porque es arriesgado. Creo que eso se debe a tus propios prejuicios, porque siempre te ha dado miedo correr riesgos.

Ella pensó en lo mucho que había arriesgado con él; le había entregado su virginidad, y había entrado en un nivel de intimidad que jamás podría borrar.

–He corrido unos cuantos riesgos, Evan –afirmó.

Él no pareció entender su insinuación, y dijo:

–Según recuerdo, eras muy estirada, siempre seguías las normas. Incluso en clase de Química, en vez de cambiar las sustancias un poco para ver qué pasaba, tú insistías en seguir las instrucciones al pie de la letra –sus palabras sonaron como un insulto.

Sin embargo, Meredith estaba orgullosa de haber acatado las reglas en el instituto; como había descubierto más tarde, era muy fácil hacer trampas, mentir y engañar.

–Sí, prefería utilizar los métodos que funcionaban, que estaban comprobados y eran fiables. Era cuestión de sentido común.

–Menos mal que Thomas Edison no pensaba así –dijo él, y dio otro mordisco a su hamburguesa.

¿Cómo podía comer en un momento así? Ella no podía ni pensar en la comida.

–Venga, tú no estás intentando inventar la bombilla, solo quieres contratar a un idiota para tener el inmenso placer de ver cómo la compañía familiar estalla en mil pedazos.

–Eso no es verdad –protestó él–. No estoy intentando destruir la compañía; a pesar de lo que crees, me importa lo que le suceda, y estoy intentando ayudar. Pero tienes razón, si no funciona, no va a ser el fin del mundo para mí.

–Así que estás dispuesto a arriesgar el futuro de todos –Meredith sintió una rabia que no había sentido en mucho tiempo–. Y si las cosas no van como tú quieres, prefieres dejar tirados a los que se preocupan por ti, sin importar cuánto les duela, que trabajar duro para seguir a flote.

Meredith estaba casi segura de que Evan dio un pequeño respingo, pero él contestó:

—Esa es una explicación fácil, ¿verdad? Culparme en vez de aceptar que algunas personas y situaciones no encajan bien.

Aquello le dolió. Meredith respiró hondo y puso las palmas de las manos sobre la mesa.

—Volvamos al asunto que nos ocupa antes de que esto tome un cariz personal, ¿de acuerdo?

—Me parece perfecto.

—Pero que quede claro que creo que no deberías contratar a Lenny Doss.

—Entonces, que quede claro que no estoy de acuerdo contigo —dijo él, encogiéndose de hombros.

Vaya una sorpresa.

—Evan, por favor, piénsalo bien. Ese tipo es un problema con mayúsculas; está claro que en la emisora donde estaba pensaron que no les compensaba, porque lo dejaron marchar.

—Ya lo sé —admitió él.

—Si lo pones en antena y mete la pata, algo que es casi seguro... no hablamos solo de Hanson, sino también de ti. Vas a quedar como un tonto, tu reputación acabará por los suelos.

Él soltó una risa cortante, y dijo:

—Puedes hacerlo mejor, Mer. Sabes que no me importa mi reputación.

—Quizás debería importarte —contestó ella, un tanto desconcertada al oír su antiguo apodo.

–Mira –continuó él, mientras se inclinaba ligeramente hacia ella–; te he escuchado, y te prometo que tendré en cuenta tus palabras antes de hablar con Doss, pero creo que ha aprendido la lección. Si pensara como tú que va a ser un problema, no intentaría contratarlo, de verdad. Además, emitimos con seis segundos de retardo; si dice algo ofensivo, no saldrá en antena.

–Esperas que sea así.

–Sé que será así –siempre había sido capaz de convencerla–. Confía en mí.

Por suerte para Meredith, su fuerza de voluntad se había fortalecido mucho en aquellos años.

–¿Aún no ha firmado el contrato? –preguntó.

Él negó con la cabeza y contestó:

–Es solo cuestión de tiempo; tendré su respuesta en unos días, una semana como mucho.

–Mientras tanto, ¿estás considerando otras opciones?

–Por supuesto.

Ella asintió, ya que aquello le daba cierto tiempo. Solo tenía que acabar aquella conversación y alejarse de Evan, para poder recomponerse y encontrar la manera de resolver aquel problema.

–Entonces, cuando sepas de quién dispones, podemos volver a hablarlo. Cuando hayas contratado al locutor y definido el horario, podremos planear la estrategia a seguir.

Él entornó ligeramente sus ojos marrones y la observó con atención.

–No es propio de ti rendirte tan pronto –dijo, con voz recelosa.

–Quizás no fuera propio de la chica que conocías –lo

corrigió ella, aunque él tenía razón–. Pero ya no me conoces, Evan.

–Eso es lo que dices una y otra vez.

–Mira, es inútil pasar la tarde discutiendo contigo, cuando es obvio que ninguno de los dos va a dar su brazo a torcer.

Él asintió su conformidad, y Meredith continuó:

–Tengo cosas más importantes en qué pensar que si contratas o no a Lenny Doss –abrió su bolso, sacó su cartera y dejó un billete sobre la mesa–. Si me disculpas, me voy a trabajar –empezó a levantarse de su asiento, intentando que su salida fuera lo más elegante posible.

Él miró el dinero, y luego a ella.

–Yo pagaré, Meredith –dijo.

–No hace falta –contestó ella; se levantó y se alisó el traje, con la esperanza de que el gesto le devolviera por arte de magia la objetividad que parecía haber perdido–. Mira, siento tener que irme, pero como te he dicho, ya volveremos a hablar del asunto cuando sepas a quién vas a contratar –Meredith rogó no tener que volver a hablar con él, ni de aquello ni de nada.

–Ya sé a quién voy a contratar.

–Ya lo veremos.

–Supongo que nos veremos por la oficina –asintió él.

Meredith pensó el consabido «no si te veo yo antes», pero sabía que no era cierto; lo más difícil de trabajar con Evan iba a ser resistir el deseo de estar cerca de él. Por eso iba a mantener la máxima distancia que pudiera, empezando a partir de aquel mismo momento.

CAPÍTULO 5

MEREDITH salió a la calle bajo el tórrido sol de julio. Las calles de Chicago estaban al rojo vivo, al igual que ella, aunque en su caso la razón no era el tiempo, sino volver a estar cerca de Evan. Se detuvo solo un momento para recobrar el aliento, pero la puerta se abrió y él apareció tras ella.

–Genial, aún estás aquí –dijo él.

–¡Evan! Sí, estaba a punto de ir a la oficina –dijo ella, tras volverse hacia él.

Evan la contempló por un momento, y entonces dijo simplemente:

–Meredith.

Ella tragó con dificultad y contestó:

–¿Sí?

–La situación entre nosotros es un poco tensa.

–Sí, es verdad –no tenía ningún sentido mostrarse cohibida.

–¿Estás segura de que puedes seguir adelante con esto?

–Por supuesto –dijo, sin necesidad de preguntar a qué se refería–. ¿Y tú?

–Sin problema –contestó él.

–Bien. ¿Por qué iba a interferir en los negocios una historia tan antigua? –Meredith respiró hondo y exhaló lentamente–; para ser sincera, no esperaba verte, ni hoy ni nunca; me ha desconcertado un poco –él nunca sabría cuánto–. Eso es todo.

–También ha sido una gran sorpresa para mí –dijo él; sus ojos contenían mil emociones diferentes–. Una sorpresa agradable.

¿Se estaba poniendo sentimental? Imposible. Meredith se encogió de hombros y asintió.

–Entonces, acordemos que a partir de ahora esto es estrictamente laboral. Nuestro pasado no tiene nada que ver con los negocios, ¿trato hecho? –dijo, y extendió la mano hacia él.

Evan se la estrechó, y un cosquilleo inesperado recorrió el brazo de la mujer.

–Trato hecho.

La voz masculina era suave y baja, una voz de hombre, pero terriblemente familiar; Meredith se preguntó si sería capaz de pensar en él desde un punto de vista estrictamente laboral. Sus manos permanecieron unidas una fracción de segundo más de lo correcto, y cuando Evan la soltó, la mano de Meredith pareció muy fría de repente.

Él pareció estar a punto de decir algo, pero en aquel momento sonó su móvil. Evan comprobó el nombre de la persona que llamaba.

–Maldición –la miró con expresión de disculpa–, tengo que contestar. ¿Te pido un taxi?

–No, no hay problema, contesta al teléfono.

Él abrió el móvil y dijo a su interlocutor:

–Un segundo, por favor –miró a Meredith, e insistió–: ¿estás segura? Acerca de... todo.

–Claro.

–Vale, ya hablaremos.

–Perfecto.

–Genial –la miró un momento, y afirmó–: todo va a ir bien.

Evan se volvió y se fue; mientras lo veía alejarse, tomando nota de la forma en que su camisa de algodón enfatizaba los músculos de su espalda y sus hombros, Meredith podría haber jurado que lo oía decir: «eso espero».

El corto camino de regreso al trabajo se le hizo eterno; con cada paso el calor se intensificaba, igual que sus emociones encontradas. Cuando por fin llegó al edificio, el aire acondicionado la golpeó de lleno, y decidió que debía organizar sus ideas antes de tomar algunas difíciles decisiones.

Meredith volvió a la oficina; por fortuna, David no estaba allí: su mujer, Nina, y él iban a llevar a sus hijos al circo, así que estaba sola, completamente sola. Se sentó frente a su mesa, y el silencio la envolvió como una cálida manta.

Durante unos minutos fue incapaz de pensar ni de moverse; solo podía respirar profundamente e intentar calmar el latido de su corazón. Le ardían los ojos, pero las lágrimas no aparecían, negándole el desahogo. Solo existía un silencio vacío.

No sabía cómo un amor tan fuerte y natural podía haberse convertido en el incómodo intercambio que acababa de suceder. Era como si Evan y ella fueran dos personas completamente diferentes, dos desconocidos.

Pero siempre lo habían sido, ¿verdad? Al fin y al cabo, Evan nunca fue la persona que ella creía. Pero, maldición, él seguía pareciendo el mismo. En cuanto lo había vuelto a ver, el corazón de Meredith había palpitado de emoción; no había sentido furia ni tristeza, sino excitación, y su primer impulso había sido acercarse a él. Solo tras aquellos primeros segundos había recordado por qué no debía hacerlo.

Por su mente pasaron recuerdos fragmentados de la desaparición de Evan, de cómo George Hanson había saboteado el negocio de su propia familia, y del subsiguiente ataque al corazón de su padre. Y en todo aquel tiempo, Evan no se había puesto en contacto con ella. Ni siquiera le había mandado una carta expresándole sus condolencias por lo de su padre, y Meredith sabía que tenía que estar enterado. Después de todo, había sido el padre de Evan quien había desacreditado al periódico de la familia de Meredith, para quedarse con el monopolio del mercado.

George Hanson había desmantelado sistemáticamente la vida del padre de Meredith; para él solo era un juego, la manera de conseguir lo que quería. Si Terence Waters no le vendía su periódico a un precio irrisorio, el gran George Hanson no tendría ningún problema en arruinarlo creando su propia publicación.

Meredith había quedado devastada. Si Evan se hubiera puesto en contacto con ella, si hubiera dicho algo compasivo, cualquier cosa, la habría ayudado a recomponer su corazón destrozado. Pero él no lo había hecho, y con el tiempo ella lo había superado, segura de que no volvería a verlo. Y en ese momento, tras volver a encontrarse con él, se sentía paralizada por una extraña mezcla de resentimiento y anhelo.

Poco a poco, el tictac del reloj en la pared fue penetrando en su consciencia, y Meredith consiguió levantarse y acercarse hasta el enfriador de agua. El agua gélida abrió un camino helado por su garganta, y la hizo reaccionar. Tenía que hablar con Helen, tenía que decirle la verdad antes de que las cosas fueran más lejos.

Meredith estaba muy nerviosa cuando llegó al despacho de Helen y se detuvo frente a la mesa de su asistente, Sonia Townsley; se trataba de una mujer alta y delgada de unos cuarenta años, con un elegante corte de pelo que hacía que su cabello gris resultara casi geométrico. Pero lo que más impresionaba de ella era que Sonia siempre se mostraba tranquila e impasible.

–¿Puedo hablar con Helen? –preguntó Meredith.

–Sí –contestó la asistente, mirándola con atención–. ¿Te encuentras bien?

–Estoy bien, de verdad –asintió ella–. Solo necesito hablar un momento con Helen.

–¿Qué pasa? –preguntó Helen desde la puerta de su despacho. Avanzó hacia ellas, e intercambió una mirada de preocupación con Sonia.

–Yo... lo que pasa es que... –Meredith no sabía qué decir, pero aquella no era la imagen profesional que quería proyectar.

–Te traeré un poco de agua fría –dijo la asistente, saliendo con tacto de una situación incómoda.

–Lo siento –le dijo Meredith a Helen cuando la asistente se marchó–; no pretendía hacer que se fuera.

–No te preocupes, y pasa al despacho. Cuéntame lo que te preocupa –Helen le indicó con un gesto que la siguiera, y se sentó tras su mesa–. ¿Va todo bien?

Meredith se sentó, incómoda, en la silla enfrente de la mujer.

–No estoy segura. Hay algo que creo que deberías

saber sobre mí; tendría que habértelo dicho antes, pero no quería ser la clase de persona incapaz de separar la vida privada de la laboral.

–¿Y has descubierto que eres incapaz de hacerlo? –preguntó Helen, frunciendo el ceño.

–Más o menos –Meredith asintió–. Creo que podría llegar a serlo.

Helen se inclinó hacia delante y dijo:

–¿Qué pasa, Meredith? Dime lo que te preocupa, y juntas lo solucionaremos.

–Evan y yo... estuvimos relacionados en el pasado –comenzó Meredith; tenía las palmas de las manos frías y húmedas.

–¿Evan? –preguntó Helen, enarcando las cejas.

–Sí, nos conocíamos cuando íbamos al instituto –aquello era quedarse muy corto–. Nos conocíamos bastante bien.

Helen la miró con expresión curiosa, y preguntó:

–¿Me estás diciendo que salisteis juntos?

Meredith tragó el nudo de su garganta. Que si salían juntos. Aquello sonaba tan impersonal, tan de película de adolescentes, tan inocente.

–De hecho, era una relación bastante seria, al menos para mí.

–Ah –Helen asintió y se reclinó en su silla–. ¿Y es la primera vez que lo ves desde entonces?

–La última vez que lo vi fue la tarde de la fiesta de graduación; me dijo que nos veríamos en unas horas –Meredith soltó una risa seca–. Desde luego, han pasado unas cuantas horas.

–Lo siento, Meredith. Debió de ser un duro golpe saber que ibas a trabajar con él.

—Fue una sorpresa —admitió ella, pero como no quería parecer una llorica incapaz de superar el pasado, añadió—: no estoy diciendo que no pueda realizar mi trabajo, pero mi encuentro de hoy con Evan me ha hecho pensar que debería contártelo, para dejar las cosas claras. Si no quieres que continúe, lo entenderé.

Helen sonrió y dijo:

—Creo que esto puede facilitar tu éxito en la empresa; si ya conoces a Evan, y estáis más o menos compenetrados, puede que las cosas resulten más fáciles, ¿no crees?

No iba a ser nada fácil trabajar con Evan, pero Meredith asintió y contestó:

—Es posible. Pero también es posible que él se sienta incómodo; si es reticente a trabajar conmigo, no te voy a resultar de mucha utilidad.

Helen miró por la ventana con una expresión remota en los ojos; tras unos segundos, se volvió de nuevo hacia ella.

—¿Se muestra reticente a trabajar contigo?

—La verdad, no lo sé —Meredith sonrió con cautela. Admitir que no quería trabajar con él la haría parecer débil, temerosa de estar cerca de él—. No pareció tan afectado por nuestro encuentro como yo.

—¿Puedes trabajar con él, a pesar de sentirte afectada por ello?

Aquel era un momento en el que tenía que ser sincera. Meredith se preciaba de ser una persona fiable, y se encontraba en un punto de inflexión con dos alternativas: rendirse a su debilidad y hacer algo de lo que probablemente se avergonzaría el resto de su vida, o permanecer fuerte y soportar su malestar, consciente de que al final podría superarlo. Objetivamente, era una elección fácil.

–Sí –contestó, sintiéndose más cómoda obedeciendo a su mente que a su corazón.

–Entonces, dejemos las cosas como están –dijo Helen, mirándola a los ojos–. Viniste con muy buenas referencias, y después de todo lo sucedido últimamente, necesitamos a los mejores para que la empresa recupere el prestigio que tuvo en su día.

–Lo haré lo mejor que pueda –contestó Meredith, y se levantó para irse. Se sentía mejor, y un poco avergonzada por la actitud alarmista con la que había ido a ver a Helen–. Me alegro de que ahora sepas la verdad.

–Yo también –dijo la mujer–. Gracias.

Meredith salió del despacho, y se detuvo junto a la puerta cerrada para respirar hondo. No podía contárselo *todo* a Helen, claro, pero al menos le había dicho lo que debía saber sobre su pasado. Con un poco de suerte, el tema no le causaría más problemas.

Empezó a andar por el pasillo en dirección a su despacho, pero de pronto se encontró frente a frente con Evan. Él la miró, y después sus ojos se posaron en la puerta del despacho de Helen.

–¿Reunión con la jefa? –preguntó él.

Meredith tragó saliva y contestó:

–Con uno de los jefes.

–¿Hay algo que yo deba saber?

–No, nada importante.

Tras mirarla durante un largo y duro momento, Evan se volvió y se alejó sin decir palabra.

CAPÍTULO 6

HELEN llegó a Sabu Hachi dos minutos antes de las ocho de la noche, la hora de su cita con Ichiro Kobayashi, del grupo de comunicación TAKA Corporation. De inmediato la condujeron a una mesa donde Ichiro y otro hombre la esperaban.

Helen sonrió, y tras una breve inclinación de cabeza, le entregó a Kobayashi una tarjeta profesional con sus datos tanto en inglés como en japonés. Él le ofreció la suya, también en ambos idiomas, pero aunque sus modales resultaban impecables, ella tuvo la sensación de que el hombre no se sentía cómodo al tener que tratar con una mujer.

Helen repitió el proceso con el otro hombre, y captó en él la misma sensación de desconcierto. Según su tarjeta, era Chion Kinjo, trabajaba en la sección de adquisiciones, como Kobayashi, y tenía oficinas en Tokio, Kioto y Shizuoka. TAKA era una gran corporación.

Helen sabía que era más que posible que estuviera con el agua al cuello, pero solo tenía que asegurarse de no dejar entrever sus sentimientos.

Tras meterse las tarjetas en el bolsillo, sacó un pequeño objeto decorativo que había comprado a un artesano chino y se lo entregó a Kobayashi como recuerdo de Chicago. Aunque era lo habitual, Helen esperaba que el hombre se lo quedara y que le recordara que aquella era una ciudad que le gustaba y a la que le gustaría volver.

—Esto es para usted —le dijo—, en señal de agradecimiento, y espero que también sea un grato recuerdo de esta hermosa ciudad.

Él observó el regalo y asintió con la cabeza en señal de aprobación.

—Muy hermoso. El detalle es magnífico.

Helen soltó un pequeño suspiro de alivio. Por el momento las cosas iban bastante bien, teniendo en cuenta que el hombre hubiera preferido tratar con su marido que con ella.

Kobayashi le indicó que se sentara junto a él, y Helen lo interpretó como una buena señal; en cuanto se sentaron, una camarera les llevó una jarra de agua y, tras intercambiar unas breves palabras con Kinjo en japonés, llenó sus vasos, inclinó la cabeza y se fue.

—Me he tomado la libertad de sugerir una serie de platos del este de nuestro país —dijo Kobayashi—; ¿le parece bien?

—Por supuesto —asintió Helen—. Es una ocasión única recibir una muestra culinaria semejante con alguien oriundo de la región. Me encantará probar lo que ha seleccionado.

Aquello pareció complacer al hombre, que sonrió y pasó de inmediato a hablar de negocios.

—Lamento la muerte de su marido —empezó—; me hubiera gustado conocerlo.

Si George hubiera vivido, jamás habría considerado la posibilidad de hablar con aquellos hombres sobre una posible fusión; hubiera preferido hundir la empresa en la bancarrota. De hecho, había estado a punto de hacerlo.

—Era un buen hombre —comentó Helen, tragándose la mentira con tranquilidad.

—En lo que respecta a su empresa, tanto a mi compañero como a mí nos preocupa sobremanera el rendimiento de Hanson Media en los últimos tiempos.

—Lo entiendo —asintió Helen—. Sin embargo, un estudio comparativo demostraría que para todas las empresas de comunicación norteamericanas son tiempos de vacas flacas.

—¿Vacas flacas? —repitió él.

Helen sabía que debía evitar las frases hechas; se apresuró a aclarar:

—Dificultades en un mercado cambiante; desde un punto de vista cultural, las cosas están cambiando con rapidez en los Estados Unidos, y muchos noticiarios han recibido duros golpes al intentar equilibrar noticias, información y entretenimiento.

—Entonces, ¿estamos hablando de una inversión arriesgada?

—No, hablamos de una inversión inteligente —contestó Helen, templando sus nervios. Iba a necesitar mucha confianza en sí misma para sacar la situación adelante—. La razón de las dificultades en la comunicación es el rápido crecimiento. Cualquier inversión actual se verá multiplicada por diez en unos cuantos años.

—Entonces, ¿por qué va a vender acciones de su compañía? —preguntó Kinjo con sagacidad.

Helen volvió su atención hacia él y contestó:

—Porque quiero que se oiga a Hanson Media en todo el mundo —inclinó la cabeza—, y creo que ustedes quieren lo mismo para TAKA. Juntos, los dos grupos serían una fuerza muy poderosa en el mundo de las comunicaciones.

Los dos hombres mantuvieron máscaras impasibles mientras analizaban sus palabras; ni una sola emoción asomó a sus rostros.

–¿Quiere mantener algún control sobre su empresa? –preguntó Kobayashi.

Helen se volvió hacia él y lo miró con expresión firme.

–Quiero una fusión, señor Kobayashi, no una absorción –dijo.

Los dos hombres intercambiaron miradas.

–No necesitamos que nos salven –añadió la mujer, aunque era como si una persona que estuviera ahogándose intentara negociar con el socorrista antes de aceptar su ayuda–. Lo que queremos es poder, y creemos que con TAKA podemos conseguirlo, para ambas compañías.

–TAKA ya es poderosa –afirmó Kobayashi con voz cortante–. Creo que esa es la razón de que usted nos propusiera su oferta.

Helen quería puntualizar que era más una propuesta que una oferta; hablar de lo último era como admitir que estaba dispuesta a sacrificar Hanson Media completamente, y no era así. Pero sabía que no tenía sentido discutir con Kobayashi, sobre todo porque él no tomaría la decisión final. Era mejor mostrarse complaciente y alimentar el interés de los dos hombres.

–TAKA podría ser más poderosa –dijo, con una sonrisa confiada.

Kobayashi no respondió directamente, pero la rapidez con que tomó aliento antes de volver a hablar lo delató. No estaba dispuesto a marcharse aún, al menos estaba interesado.

–Hay algo que nos preocupa, y que usted aún no ha mencionado –dijo el hombre.

–¿De qué se trata? –Helen sintió un momento de aprensión. ¿Se iban a sacar un as de la manga?

–Su empresa parece tener una debilidad creciente en la sección de radio; creemos que pone en peligro las ventajas de una posible inversión.

La radio estaba siendo un problema mayor de lo que Helen había anticipado; sin embargo, después de tanto tiempo deseando tener más contacto con los hijos de George, no iba a ofrecerle a uno la posibilidad de ayudar a la compañía solo para arrebatársela de inmediato.

Además, tenía fe en Evan; aunque no tenía demasiada experiencia en el negocio, era muy inteligente, y conocía los gustos del sector de la población que más interesaba a Hanson Media.

–Acabo de contratar a personal nuevo para que se ocupen de la radio, incluyendo a Evan, el hijo de mi difunto marido.

Helen sonrió, esperando transmitir su confianza en Evan, y no la incertidumbre que a veces sentía en calidad de viuda de George Hanson.

–Tenemos entendido que su hijastro pretende cambiar su programación para emitir programas en clave de humor, y que ha pensado en Lenny Doss, que ya ha costado cientos de miles de dólares a otras compañías en multas de la Comisión Federal de Comunicaciones de su país.

Helen se sorprendió de que Kobayashi tuviera aquella información, que debería haber sido confidencial, pero confiaba en que Evan y Meredith harían lo mejor para la empresa.

–Hanson Broadcasting no ha adquirido aún ningún compromiso con el señor Doss; Evan va a estudiar la posibilidad concienzudamente, y tomará una decisión en base al equilibrio de riesgos y beneficios –les ofreció su mejor sonrisa, y continuó–: y si Evan Hanson decide que contratar al señor Doss es lo mejor para la compañía, tengo plena confianza en él.

–¿De veras?

Helen asintió con sinceridad. Evan conocía los gustos de los jóvenes de su edad mejor que Kobayashi o que ella misma, de eso estaba segura.

–Créame, la radio está en las mejores manos.

–¿Puede probarlo? –preguntó Kobayashi con expresión dubitativa.

–Los números de la próxima temporada lo corroborarán –Helen respiró hondo para calmarse y añadió–: créame, señor Kobayashi, no hay nada que se interponga entre Hanson Media y el éxito a escala nacional.

«Espiar» era una palabra horrible.

Meredith prefería pensar que estaba recabando información en beneficio de todas las partes implicadas; era una investigadora, no una espía corporativa.

Sin embargo, mientras se movía sigilosamente por las oficinas de Hanson Media bajo las luces mortecinas de los fluorescentes, a las dos y media de la madrugada, saltando con cada pequeño ruido que oía, se sentía como una auténtica espía... como un topo, una mentirosa.

Sí, hacía lo que le habían mandado; aquel era su trabajo, y lo haría bien, como siempre. Pero aquella vez era personal, y eso lo cambiaba todo; en vez de recoger información confidencial de una empresa cualquiera para pasársela a otra, estaba haciéndolo en Hanson Media, un nombre que había provocado fuertes sentimientos conflictivos en ella durante una década. Y la información iría a parar a una compañía que quería llevar a cabo una absorción y dejar completamente al margen a los Hanson.

Meredith desconocía los planes de su superior para la compañía, ya que no era asunto suyo; su trabajo consistía en recoger la información pertinente y pasársela a quien la había contratado. La ignorancia de lo que pasaría después debería ser un alivio, pero no iba a permitir que sus nervios la detuvieran.

Solo era una reacción emocional, y en su trabajo no había sitio para las emociones, que eran tan traicioneras y podían hacer que una persona creyera cosas que no eran ciertas. Sintiera lo que sintiese, debía seguir adelante y hacer su trabajo.

Era lo que siempre había hecho.

Meredith continuó con su tarea, mientras su corazón palpitaba con el temor de que alguien la descubriera; quizás una pobre alma cansada que quisiera acabar su trabajo para poder llevar a sus hijos a Disney World, o algún empleado ambicioso que quisiera impresionar al jefe acabando sus tareas antes de tiempo.

Sin embargo, el único sonido que se oía era el zumbido del aire acondicionado, que insuflaba aire frío a través de kilómetros y kilómetros de conductos de aire.

Meredith se dirigió primero al despacho de David

Hanson; con un poco de suerte, allí encontraría todo lo que necesitaba, y no tendría que rebuscar en los archivos de nadie más. Después de echar un rápido vistazo para comprobar que no había nadie observándola desde las sombras, encendió el ordenador para buscar los archivos de los que él le había hablado aquella semana.

—Se detallan los datos de nuestro rendimiento reciente desglosados por día, semana, mes y año —había dicho él, orgulloso de las hojas de cálculo que había elaborado una administrativa—. Es como la medicina forense; puedo decirte cuántos periódicos se habían vendido en Manhattan el martes trece de enero a la una de la tarde, puedo darte cualquier detalle.

Aquella era la información que su superior quería obtener. Cuando se cargó el sistema operativo de David, Meredith tecleó la contraseña que le había visto introducir anteriormente, *Bubby,* aunque no tenía ni idea de lo que significaba.

El sistema dio un pitido y siguió cargándose, y finalmente apareció un fondo de escritorio con la foto de Nina, la mujer de David, junto a sus hijos, Zach e Izzy. La familia sonreía a la cámara, y Meredith sintió una punzada de culpabilidad.

Dejando de lado los pensamientos negativos, no tardó en encontrar los archivos que buscaba, y tras comprimirlos los guardó en una memoria USB. En el pasado, instrumentos así habían estado solo en manos de las agencias de espionaje, pero en ese momento, cualquier estudiante podía llevar todos sus apuntes en un aparato tan pequeño como el dedo de un niño.

Meredith saboreó los beneficios del progreso, ya que podía guardar unos archivos que habrían acaparado toda la memoria de su antiguo ordenador, aunque el proceso no era instantáneo; sus dedos tamborilearon sobre la mesa con impaciencia, mientras la información se transfería.

De repente, la mujer creyó oír a alguien toser en la distancia, y su mano voló al interruptor del monitor y lo apagó. Esperó sin aliento en la oscuridad para ver si un guarda o, aún peor, algún empleado, iba a investigar el porqué del sonido del ordenador de David.

Permaneció allí durante unos cinco minutos, mientras contenía el aliento. Al fin, creyendo que debía de haber sido su imaginación, fue sigilosamente hasta la puerta y echó un vistazo por el pasillo. Se preparó para recibir un buen susto y... nada.

Con un suspiro de profundo alivio, Meredith volvió al despacho de David, y descubrió que el ordenador había terminado de copiar los archivos. Se metió en el bolsillo la memoria USB, borró sus pasos virtuales del sistema operativo, y apagó el ordenador.

Aún cautelosa, escuchó con la atención paranoica de un lobo solitario mientras avanzaba por el laberinto de pasillos. No vio ni oyó a nadie, pero tenía la inquietante sensación de que allí había alguien más. Quizás se tratara de cámaras de vigilancia, o del personal de seguridad en el vestíbulo principal, o del zumbido constante de los innumerables ordenadores en hibernación o mostrando al vacío sus salvapantallas de *La guerra de las galaxias*.

Por un segundo de locura, Meredith consideró mirar en el despacho de Evan; había algo en la quietud de la noche, ciertas emociones largo tiempo dormidas, que le decían que fuera allí. Como si pudiera ir e inhalarlo muy dentro, y después... exhalarlo, para quizás poder deshacerse de una vez por todas de los recuerdos que aún la obsesionaban.

Pero no había tiempo para eso; había cumplido con su misión, y tenía que salir de inmediato del edificio, antes de que alguien la descubriera. Miró subrepticiamente por el pasillo, abrió la puerta principal y salió fuera, cerrando sin querer con más fuerza de la necesaria. Era un error descuidado, pero no le importó; estaba claro que no había nadie.

Nadie excepto los fantasmas de un hombre que una vez lo había sido todo para ella, y cuyo nombre ya no significaba más que un cheque cada dos semanas, un estupendo seguro sanitario y dental, y un dolor sordo en su corazón que Meredith casi no podía soportar.

CAPÍTULO 7

UNA súbita explosión despertó a Evan Hanson. Antes de darse cuenta de lo que hacía, se había incorporado en el sofá cama, tenso y listo para pelear o salir corriendo. Por un desconcertante momento no supo dónde estaba, pero entonces recordó que estaba durmiendo en su despacho.

Incapaz de comprometerse a quedarse en Chicago, o de admitir siquiera que había vuelto, había acampado en la oficina; se duchaba en el cuarto de baño para ejecutivos, y salía a comer fuera o pedía que le llevaran la comida allí.

¿Qué sentido tenía buscar un apartamento para quedarse en un empleo que no iba a durar? No era un as de las finanzas, pero podía ver claramente las señales: Hanson Media se estaba derrumbando. Si podía hacer lo que fuera para evitarlo, estaba dispuesto a dar el cien por cien; sin embargo, no estaba seguro de que la situación pudiera arreglarse, aunque no estuviera dispuesto a admitirlo ante ninguno de los empleados.

De cualquier manera, no pensaba quedarse para siempre en Chicago; echaba de menos el sol de Mallorca, los productos naturales que le gustaba comprar en los mercados al aire libre por toda Europa. Ya estaba harto de comida rápida.

Las esperanzas de Helen eran admirables, incluso nobles, pero estaba claro que infundadas. Las oficinas que en el pasado rebosaban de empleados entusiastas, reflejando la prosperidad de uno de los grupos de comunicación más poderosos de los Estados Unidos, estaban medio vacías. Las risas escaseaban, la gente no se paraba a charlar, los rostros que Evan se encontraba a diario no mostraban ningún optimismo.

La mayoría de los mejores empleados se habían marchado hacía algún tiempo, conscientes de que sería mejor para sus currículos haber trabajado en una empresa de éxito que aferrarse a un barco que se hundía más rápido que el Titanic. Estaba bastante seguro de que alguna compañía adquiriría Hanson Media a precio de saldo, así que quizás pudiera volver a emerger, pero aun así los que se quedaran iban a pasarlo mal por un tiempo... a no ser que tuvieran la valentía de conservar sus opciones de compra de acciones hasta que el precio subiera.

Pero, por lo que había oído por la oficina, la actitud general era «sálvese el que pueda», así que, ¿qué hacía allí Meredith Waters? La mujer que él conocía era demasiado inteligente para sumarse a una causa perdida.

Además, lo cierto era que Evan hubiera preferido no tenerla cerca, ya que era una gran distracción para él. El fantasma de Meredith lo había perseguido durante años, su recuerdo había aparecido de forma velada en su mente más veces de las que quería admitir. No siempre se daba cuenta, pero muchas noches, cuando estaba a solas con sus pensamientos, era la voz de Meredith la que le hablaba.

Había sabido que era una locura, ya que ella debía de odiarlo, y no estaría tumbada en su cama al otro lado del océano, pensando en lo mismo que él. Además, estaba seguro de que ella había encontrado a alguien mucho mejor y más fiable, alguien con el que Evan nunca podría llegar a compararse.

Se había pasado la vida sintiendo que no podía cumplir con las expectativas de sus seres queridos, y por un tiempo lo que más le había dolido era lo decepcionado que su padre se sentía de él. Tras la lectura del testamento, lo lógico habría sido que el sentimiento de fracaso que sentía con su padre se hubiera acrecentado, pero algo dentro de él se había roto. De alguna forma, por algún milagro, había dejado de importarle lo que George Hanson pensara de él.

Por un breve y glorioso lapso de tiempo, Evan había disfrutado de una sensación de indiferencia total hacia lo que pensara nadie.

Pero entonces apareció Meredith, y de repente la clase de hombre que era, la opinión que ella tuviera de él, importaba más que nunca; aquello era lo que más lo distraía. Desde el momento en que la vio, supo que iba a ser muy difícil sacársela de la cabeza.

Desde Meredith, había preferido salir con mujeres que no le convenían. Tener una aventura era aceptable, pero se había enamorado antes y no pensaba volver a hacerlo; y, desde luego, había evitado a cualquiera que le recordara a ella. Era demasiado doloroso.

Al principio había sido un esfuerzo consciente, pero pronto se convirtió en costumbre. Había salido con mujeres rubias, pelirrojas y con el cabello negro, pero nunca con ninguna que tuviera aquel rico tono castaño, o una pálida piel irlandesa, o unos risueños ojos verdes.

Pensó en ella, en cómo siempre se esforzaba en todo

lo que hacía, ya fuera aprobar un examen, ayudar a una amiga a rellenar un formulario, o cocinar aquel delicioso pan que solía hacer. Evan dudaba de que ninguna de las mujeres con las que había salido en la última década pudieran cocinarse el desayuno, mucho menos su propio pan.

Pero no podía permitirse hacer aquellas comparaciones, o pensar en las cosas que había adorado en Meredith... sobre todo en ese momento, cuando estaban intentando arreglárselas con aquella frígida situación en la que se encontraban. Sin embargo, aunque Evan se resistía a su nueva relación laboral, también sabía que ella haría bien su trabajo. Si alguien podía ayudarlo a tener éxito, esa era Meredith.

Habían acordado que iban a lograrlo, que juntos iban a conseguir levantar el negocio, independientemente de lo que hubiera sucedido o dejado de suceder en el pasado.

El pasado había muerto, y el futuro era breve, al menos en Hanson Media. Solo tenía que esforzarse por conseguir que la sección de radio fuera un éxito, y entonces podría irse de Chicago.

Pensó en Lenny Doss; era cierto que era un renegado, y bastante conflictivo, pero Evan creía que el locutor sería capaz de respetar las normas. Era un tipo descarado, atrevido y grosero, pero no era estúpido; además, gozaba de mucha popularidad.

Incapaz de dormir, fue hasta su mesa y encendió el ordenador para comprobar su e-mail; era la vía de comunicación preferida de Lenny, así que Evan decidió escribirle para preguntarle si había tomado alguna decisión sobre el contrato que le había propuesto. En medio de cientos de correos basura que le ofrecían de todo, desde oportunidades de inversión a un aumento de sus atributos físicos, Evan encontró un mensaje del propio Lenny.

Para: ehanson@hansonmediagroup.com
De: ossmanhimself@lennydoss.com
Asunto: ¡Tienes competencia, colega!
¡Hola! DigiDog Satellite Radio me ha hecho una oferta muy buena. ¿Estás dispuesto a elevar la tuya un 10% con tres años garantizados? Solo así conseguirás a Doss Man.
LD.

Evan murmuró una palabrota, y se apresuró a buscar DigiDog en Internet. Era una pujante compañía de emisión por satélite, y estaban pagando mucho dinero para contratar a talentos de éxito, y para conseguir catálogos musicales de calidad. Por la programación que había planeada, estaba claro que ya habían arriesgado cifras astronómicas.

Sin embargo, el nombre de Lenny Doss no aparecía relacionado con DigiDog en ninguna parte, ni siquiera en varios artículos relacionados, en los que los directores de programación hablaban de los programas que querían emitir.

Así las cosas, no estaba claro si realmente le habían ofrecido un puesto a Lenny; era posible que sí, pero también podía tratarse de una estratagema del locutor para aumentar sus beneficios. El problema era que Evan no podía saber cuál de las dos opciones era la correcta, y estaba convencido de que Lenny Doss era el primer paso primordial de Hanson Broadcasting hacia el éxito.

Tras unos minutos de reflexión, se le ocurrió un plan.

***

   –He invitado a Lenny Doss a tomar algo esta noche, y quiero que vengas con nosotros para convencerlo de que trabaje en Hanson –le dijo Evan a Meredith por la mañana. No dijo «por favor», aunque la palabra resonó en su mente.

   –¿Qué? Estás bromeando, ¿verdad?

   –No. Nos veremos en Dominick's, en Navy Pier, a las siete y media –ya podía imaginársela allí, bajo la luz tenue, luciendo algo, lo que fuera, diferente a los conservadores trajes que llevaba en la oficina.

   –Y quieres que yo vaya contigo –dijo ella, incrédula, mirándolo a los ojos para ver si le estaba tomando el pelo; tras la discusión que habían tenido sobre la conveniencia de contratar a Doss, le costaba creer que hablara en serio.

   –Sí –contestó Evan, impasible.

   Meredith siempre sabía si él estaba bromeando, porque aunque podía mantener la boca quieta, un hoyuelo aparecía siempre a la izquierda de sus labios. Ella solía pensar que era algo adorable. Sin embargo, en ese momento no había ni rastro del hoyuelo, lo que indicaba que él estaba hablando en serio.

   –¿Por qué, Evan? –preguntó ella–, ¿por qué iba a intentar ayudarte para contratar a alguien así?

   –Porque sabes que lo quiero a bordo.

   –Y tú sabes que yo estoy completamente en contra de esa decisión.

   –Y tú sabes que no tienes razón.

   –¡No es verdad!

–Bueno, pues yo sí que lo sé –la tomó del brazo y la condujo hacia su despacho, mientras añadía–: técnicamente, soy tu jefe, y tienes que hacer lo que yo te diga.

Ella se zafó de su agarrón y contestó:

–Bueno, técnicamente, no trabajo para tu departamento, así que tienes que aclarar estos temas con tu madrastra; creo que si estudiara las dos opciones, estaría de acuerdo conmigo.

–No si analizara bien los hechos.

–¿Qué hechos podrían justificar las acciones de ese tipo? –preguntó Meredith.

Evan se detuvo un momento y la miró.

–No hay nada que pueda justificarlo, pero sus estadísticas son impresionantes, y por eso vale la pena tenerlo en cuenta, aunque no te guste su pasado.

–Lo que me preocupa es su futuro –contestó ella.

Siguieron caminando, y cuando entraron en el despacho de Evan, él dijo:

–Debes valorar todos los datos, no solo los rumores que hayas encontrado en Internet.

Ella le lanzó una mirada hostil, pero Evan tenía razón. En cuanto él había mencionado a Doss, Meredith había sabido que el locutor era una bomba de relojería, y había buscado información que le diera la razón; al parecer, Evan había hecho lo contrario que ella, como siempre.

–Tienes que ver las estadísticas de esta emisora –la sentó en su silla, tecleó una dirección de Internet en el ordenador y señaló a la pantalla–; mira estas cifras, aquí es cuando cambiaron de un formato de noticias normal a emitir tertulias participativas con Lenny Doss.

Meredith se inclinó hacia delante y miró las cifras,

moviendo un poco el gráfico con el ratón para obtener una imagen más detallada.

–¿En qué mes lo contrataron? –preguntó, concentrándose en los datos demográficos y en el incremento de oyentes.

–En febrero –contestó él, señalando un punto del monitor–; justo aquí.

–Ya veo –ella hizo clic sobre la fecha y examinó toda la programación, para ver si había otra posible razón que explicara aquel incremento de audiencia–. En esa época también emitían programas religiosos los domingos –comentó sin mucha convicción; aquellos programas casi nunca obtenían grandes resultados.

–Comprueba las audiencias –dijo Evan; su voz revelaba la arrogante confianza que sentía.

Meredith hizo lo que él decía. La programación religiosa tenía unos datos abismales.

–Oh –dijo.

–Exacto.

La mujer frunció el ceño, buscando cualquier indicio que probara que Evan le estaba dando demasiado crédito a aquel hombre.

–¿Cuándo lo echaron?

–No lo hicieron.

–¿No? –maldición, debería haberse informado mejor antes de hablar con Evan sobre el tema.

–Se fue a Gemini Broadcasting, justo aquí.

Evan volvió a señalar un punto del monitor, y al inclinarse quedó tan cerca de Meredith, que ella pudo oler no solo su colonia, sino también el dolorosamente familiar aroma de su piel. Él añadió:

–En noviembre del año siguiente.

–Y las audiencias cayeron –observó ella, tan distraída por la proximidad del hombre que le costaba concentrarse en el asunto que tenían entre manos.

En cambio, Evan no parecía afectado por la cercanía de ella; él asintió con entusiasmo, y en su rostro solo
se reflejaba el triunfo que sentía porque Meredith había
visto la luz cuando él se la había enfocado justo delante
de los ojos. Con satisfacción, él confirmó:

–Las audiencias cayeron en picado.

Ella volvió al buscador de Internet y tecleó Gemini Broadcasting, como lo había hecho Evan una semana
antes, y buscó las fechas pertinentes. Él esperó un momento mientras Meredith comprobaba que los resultados
de aquella emisora también habían mejorado con Doss.

–¿Ves lo que te decía? –preguntó.

Ella cerró la página web y volvió la silla hacia él.

–Sí –contestó.

–Pero dudas porque, aunque te interesa lo que podría hacer por la empresa, no apruebas sus métodos –dijo Evan, intentando descifrar la inusual severidad de sus
ojos y su postura; cada vez que se acercaba a ella, Meredith se tensaba y se ponía a la defensiva.

Si ella hubiera mostrado cualquier emoción, cosa
que no había hecho, Evan habría jurado que su reacción
hacia él era muy personal; pero, tal y como estaban las
cosas, solo podía deducir que ella odiaba tanto a Lenny
Doss, o a lo que aquel hombre representaba, que se había enfadado con Evan por querer contratarlo y por demostrar que podían conseguir beneficios con él.

–Eso es cierto –admitió ella; se alejó ligeramente de
él, y la silla chocó contra la mesa tras ella–. Pero, como
he dicho antes, también me preocupan los problemas

potenciales que puede ocasionar; creo que es algo importante que hay que tener en cuenta –añadió.

–De acuerdo; échale un vistazo a los e-mails que me ha enviado al respecto –dijo Evan, y abrió una carpeta del ordenador en la que había guardado su correspondencia con Lenny Doss.

Aquella vez procuró mantenerse a una cierta distancia, ya que no quería ver de nuevo cómo la mujer retrocedía para alejarse de él; si lo hacía, él sabría con certeza que había sido un gesto deliberado y no una coincidencia, y Evan no quería saberlo.

–Si va a hacer que te sientas mejor, léelos todos –dijo.

Evan fue a sacar una botella de agua de la pequeña nevera que había bajo el ventanal del despacho; necesitaba ocuparse en otra cosa que no fuera contemplar a Meredith y preguntarse cómo era posible que con los años hubiera ganado aún más en belleza, en vez de envejecer.

–De acuerdo, dame un par de minutos –dijo ella, y volvió su atención al monitor.

Evan no había creído que ella aceptaría la sugerencia, pero era un alivio escapar de su escrutinio por un momento, aunque el tiempo que permaneció de pie esperando a que ella leyera los e-mails se le hizo eterno. Ella los fue repasando uno tras otro, deteniéndose de vez en cuando para hacer alguna anotación en un pequeño bloc que había sobre la mesa.

Él notó que su letra era aún tan desgarbada como en el instituto, y algo en el pequeño detalle hizo que sintiera una cierta calidez en su interior, que se sintiera un poquito como en casa. Pero aquello era todo lo que Meredith ofrecía en cuanto a vibraciones reconfortantes, ya que se mostraba fría e impersonal.

Evan intentó leer la expresión de la mujer, pero aunque aquel rostro le resultaba innegablemente familiar, algunas de sus expresiones eran completamente nuevas para él. Solo podía basarse en su propia experiencia con la gente, y tenía la clara y desagradable sensación de que aquello no era más que una cuestión de negocios para Meredith.

Al fin, ella terminó y giró la silla hacia él; sus ojos verdes brillaban, seguramente por el cambio de luz al pasar la vista del monitor a Evan.

–De acuerdo, admito que puedo entender tu punto de vista, más o menos –dijo.

–¿Estás de acuerdo conmigo? –preguntó él, incapaz de creer lo que había oído.

–Espera un momento –Meredith levantó una mano para que se detuviera.

Era la mano izquierda, la que años atrás Evan había creído que luciría los anillos de compromiso y de matrimonio que él le entregaría.

–No he dicho que esté de acuerdo contigo –continuó ella, ajena a los desconcertantes pensamientos del hombre sobre el pasado–. Hay muchos puntos en los que aún disentimos.

Él pensó que no siempre había sido así, pero ella siguió hablando:

–Lo que digo es que entiendo tu punto de vista sobre sus audiencias, y que su arrepentimiento te ha dado la confianza suficiente para pensar en contratarlo.

Iba por buen camino, ella le estaba dando la razón... ¿verdad?

–¿Así que vendrás conmigo a hablar con él? –preguntó.

Meredith frunció el ceño, dubitativa. Su delicada frente descendió hacia los luminosos ojos verdes de aquella forma que él no había visto en tanto tiempo, que le dolía solo pensarlo.

–No estoy segura de que yo pueda ayudarte en algo.

–Venga, Mer –dijo él, sin darse cuenta de que había usado aquel apodo tan familiar hasta que fue demasiado tarde–; puedes usar tu encanto para conseguir lo que quieras, sabes que eres muy buena para eso.

–No creo que esa sea una buena idea –dijo ella, mirándolo con expresión acerada.

Tenía que ser muy precavido al pensar en ella de forma personal, porque estaba claro que una parte de su subconsciente no acababa de distinguir entre lo que había sentido por ella cuando eran unos críos y lo que sentía en ese momento, cuando no eran más que colegas profesionales.

Debía concentrarse en el éxito de su plan, en contratar a Doss y salvar a la empresa. La idea había arraigado, y cada vez tenía más importancia para él. No sabía si se debía a la necesidad de salvar a las futuras generaciones, inocentes del veneno de su padre, o si simplemente quería superar al viejo salvando la compañía que George había estado a punto de destruir.

Deseaba ambas cosas, pero la balanza tendía a inclinarse ligeramente hacia la segunda opción. Sin embargo, nada de aquello tenía importancia; todos compartían un objetivo común, y no importaba cómo lo consiguieran, ¿no?

–Vale, lo siento –dijo–, pero sabes lo que quiero decir; puedes ayudarme a convencerlo, porque eres una mu... una persona inteligente y hermosa. Además, puedes exponer la situación de forma creíble y persuasiva.

Ella lo miró con atención con expresión sorprendida, y finalmente asintió conciliadoramente.

—Puede que tu fe en mí sea un poco infundada, pero está bien, lo haré —dijo.

—¿Vendrás? —preguntó él, sin poder creerlo; era casi como una cita. Al menos, la perspectiva hacía que se sintiera como si tuviera diecisiete años y aquella fuera su primera cita.

—Iré —volvió a asentir ella; su cabello sedoso brillaba bajo la luz—. Pero solo para conocer al tipo y tantear la situación; no prometo comprar un billete para el tren del amor de Lenny Doss.

—Cariño, ese tren ni siquiera para en esta estación —sonrió él. En aquel momento, habría querido tomarla en sus brazos para besarla, pero no lo hizo.

Aquello eran solo negocios, y lo que pasara se limitaría al plano laboral, aunque la mirada de sus ojos verdes o la curva de la boca femenina le hicieran pensar en cosas muy poco profesionales. Así que interpretaría el papel de jefe agradable y entusiasta con su trabajo.

—Solo tenemos que preocuparnos del tren de las audiencias de Lenny Doss, y ese —Evan abrió los brazos de par en par—, está a punto de llegar a Hanson Broadcasting.

CAPÍTULO 8

NATURALMENTE, aquello no era una cita; ambos lo sabían, y Meredith detestaba el impulso que sentía de arreglarse; más que eso, detestaba el hecho de que era incapaz de contener el impulso.

Su madre se había mudado a Tampa hacía más de un año, y Meredith había vuelto a la casa en la que había crecido; había sido el paso lógico, ya que su madre no estaba emocionalmente preparada para desprenderse de la casa, pero no era capaz de mantenerla.

Meredith estaba de vuelta en Chicago por su trabajo, y necesitaba un lugar donde vivir, así que el sitio le había ido como anillo al dedo; sin embargo, a veces era un poco desconcertante verse desayunando en la misma cocina de siempre.

Estaba haciendo algunos cambios, ya que no le gustaba vivir anclada en el pasado; sin embargo, las reformas avanzaban despacio, ya fuera por culpa de contratistas lentos o por sus finanzas limitadas. Así que la casa tenía el mismo aspecto que diez o veinte años atrás.

Aquello no la había molestado hasta ese momento, en que se miraba en el mismo espejo que había reflejado la imagen de una adolescente arreglándose para salir con un chico un poco alocado, pero dulce en el fondo: el mismísimo Evan Hanson.

–No deberías salir con ese chico –le había dicho su padre un día, mientras ella se preparaba para ir al cine con Evan–. Procede de una mala familia.

–Oh, papá, su familia no es mala; su padre es un matón, eso es todo.

Su padre había resoplado, y solo más tarde Meredith entendería el dolor que tensó su rostro por un segundo. El hombre había afirmado:

–Si el chico se parece a su padre, sería mejor que te mantuvieras alejada de él.

–Él es genial, papá, de verdad. Confías en mí, ¿no?

–No confío en nada en lo que se refiere a la familia de George Hanson.

Ella había ido hasta él y lo había abrazado con fuerza; sus brazos habían rodeado con demasiada facilidad un cuerpo que solía ser mucho más sólido. Su padre trabajaba sin parar, y no estaba bien de salud. Meredith estaba preocupaba por él.

–Evan debe de haber tenido una madre maravillosa, porque es uno de los chicos más buenos que he conocido. Aparte de ti, claro. Sé que la ha perdido, pero la tuvo a su lado hasta el año pasado; ha tenido mucho tiempo para aprender a ser diferente de su padre.

–Siempre ves lo mejor en la gente –había dicho su padre con algo parecido al asombro–. Pero créeme cuando te digo que, a veces, las personas no son lo que parecen. Confía en la gente, pero siempre con cierta cautela. Cuida de ti misma cuando yo no esté a tu lado.

Ella le había dado un beso en la mejilla.

–Estaré bien, papi, te lo prometo.

Después de aquello, sus propias palabras habían resonado burlonas en su mente durante mucho tiempo.

Y, sin embargo, allí estaba de nuevo. La vida había cambiado mucho desde aquellos días, y aun así Meredith seguía viendo el mismo rostro, un poco más envejecido, en el mismo espejo, intentando acentuar los mismos ojos verdes y los mismos labios carnosos para que el mismo chico pensara que estaba guapa.

Debía de estar loca.

¿Por qué le importaba tanto tener buen aspecto ante él? Mientras se maquillaba cuidadosamente las pestañas, se dijo que no le importaba; era normal que quisiera tener buen aspecto para reunirse con un talento que la empresa quería contratar, ¿no?

De modo que no se trataba de impresionar a Evan, se recordó mientras se esforzaba en peinar su largo cabello ondulado; simplemente, quería estar guapa para que los dos hombres la tomaran en serio profesionalmente. Habría sido absurdo distraerlos con la piel pálida por falta de sueño y el cabello completamente despeinado. Tenía que aparecer ante ellos como la pulcra profesional que era.

El reloj avanzó lentamente mientras se preparaba; de hecho, el tiempo parecía pasar con más lentitud que nunca. Meredith no tardó demasiado en maquillarse y peinarse, pero estaba tan nerviosa por la perspectiva de salir con Evan, que quería mantenerse ocupada hasta el momento de irse.

Sin embargo, una hora antes de tiempo ya estaba lista, sin otra cosa que hacer excepto pensar en Evan.

Meredith esperó unos cuantos minutos en el coche antes de ir a encontrarse con Lenny Doss y Evan.

Él se había ofrecido a ir a buscarla, pero ella, sin saber muy bien por qué, había declinado la oferta. Probablemente, tenía que ver con el hecho de que ya era bastante desconcertante volver a verlo; aún no podía enfrentarse a él bajo la luz del porche de la casa de sus padres, sería demasiado... extraño.

Además, quería controlar la situación todo lo que pudiera; mientras permanecía en el coche, viendo pasar los minutos en el reloj digital del salpicadero, se recordó a sí misma que eso era exactamente lo que estaba haciendo: mantener el control.

Diez minutos después de que su estómago empezara a retorcerse y a instarla a que se apresurara para no llegar tarde, Meredith salió del coche, lo cerró con llave y se dirigió con paso calmado hacia el restaurante.

Su temor principal era ser la primera en llegar, permanecer sentada como una tonta, esperando a un hombre del que había estado enamorada. Afortunadamente, los dos hombres en cuestión ya estaban allí, en una mesa redonda bastante grande con sendas jarras de cerveza medio vacías.

Evan estaba fantástico, con una camisa azul y pantalones que realzaban su cuerpo, pero que no se ajustaban hasta tal punto que pareciera que iba a presentarse a un concurso de música disco. Lenny, sin embargo, parecía listo para saltar a la pista de baile: vaqueros ajustados azul marino y una estridente camisa fucsia que parecía dos tallas más pequeña de lo necesario, y que debería tener al menos tres botones más abrochados para parecer aceptable.

–Meredith –la llamó Evan en cuanto la vio; se levantó y le hizo un gesto para que se sentara junto a él.

¿Era su imaginación, o parecía aliviado al verla? Meredith respiró hondo y sonrió.

–Hola, perdonadme si llego un poco tarde.

–En absoluto –dijo Evan–; siéntate, por favor. Este es Lenny Doss. Lenny, te presento a Meredith Waters, trabaja en publicidad. Nos ayudará a buscar ideas para promocionar tu regreso a las ondas.

–¿Es que ya habéis llegado a un acuerdo en cuanto al contrato? –preguntó Meredith, y miró a Evan con expresión interrogante.

–Aún no –contestó Lenny–. Pero ahora que le he echado un vistazo al talento que tenéis en la oficina, me siento más dispuesto a aceptar.

La ira de Evan se encendió de inmediato.

–¡Oye...!

Meredith lo detuvo con un gesto de la mano; podía ocuparse de la situación sin causar tensiones innecesarias.

–Es el talento en las ondas el que nos preocupa por el momento, señor Doss; ¿está seguro de que puede estar a la altura de nuestras expectativas?

Lenny empezó a bravuconear, tal y como ella esperaba.

–Espera y verás –dijo el locutor, pasándose una mano por el cabello, muy engominado y en claro retroceso.

La camarera apareció y tomó nota del pedido de Meredith, un vaso de chardonnay.

–¿Y puede mantenerse a raya? Según creo, ha tenido algunos problemas al respecto en el pasado; Hanson Media no va a aceptar que con su comportamiento provoque que se le impongan multas –añadió Meredith.

–Está en el contrato –le dijo Evan en voz baja.

Ella se sintió impresionada; era bastante bueno, teniendo en cuenta que nunca había trabajado en el mundo de los negocios. Se giró y le mandó un rápido guiño con el ojo.

–¿Qué me dice, señor Doss? –preguntó, y tomó un sorbo de vino. Estaba amargo. Lo cierto era que no le gustaba, pero no lo odiaba tanto como la cerveza o el resto de alternativas. Y pedir una gaseosa habría parecido tan remilgado que un tipo como aquel probablemente se lo tendría en cuenta–. ¿Deberíamos darle una oportunidad?, ¿y si es así, podría explicarme por qué?

Por desgracia, Lenny no era tan fácil.

–La cuestión es si *yo* debería daros una oportunidad a *vosotros* –tomó un gran sorbo de cerveza, y eructó de forma repugnante; sus ojos reflejaban una vanidad descarada–. Y de momento no estoy seguro.

Evan se movió en su silla, acercándose ligeramente a Meredith; ella se dio cuenta de que era algo inconsciente, pero de todas formas fue un gesto protector, y se sintió reconfortada. Se inclinó un poco hacia la presencia masculina, y con aquel apoyo dijo:

–Va a tener que decidirse, porque también hemos contactado con Howard Stern.

El hombre fijó la vista en ella al momento.

–¿Hablas en serio? –frunció el ceño, y dijo–: ni hablar. No es verdad.

–Nos cuesta más caro que usted –afirmó Meredith con tranquilidad, tomando un panecillo de la panera en el centro de la mesa–. Pero, como sabe, tiene mejores índices de audiencia.

–Solo porque ha abarcado más mercados que yo.

Ella se encogió de hombros, partió el panecillo, y lo untó con mantequilla con una lentitud deliberada.

–No lo sé; nosotros nos limitamos a observar los hechos, ¿verdad, Evan?

Los ojos marrones del hombre brillaban divertidos; parecía como si hubiera planeado limitarse a contemplar el desarrollo de la conversación entre Meredith y Lenny, por lo que cuando ella mencionó su nombre, tardó un segundo en contestar:

–Exacto, los hechos. Todo se basa en los hechos.

Los ojitos de Lenny pasaron de la una al otro, y al final volvieron a centrarse en Meredith, quien prácticamente podía ver el cerebro del hombre en pleno funcionamiento.

–Ya veo –dijo, con una despreocupación mucho más forzada; en aquel momento una canción de Green Day sonó en su móvil, y Lenny lo sacó del bolsillo y contestó–: eh, qué pasa... ¡hola, Roberts, colega!

Meredith dedujo que se trataba de Karl Roberts, su representante.

–Estoy con Hanson y una muñequita de publicidad; están intentando convencerme de que firme, pero no estoy seguro, colega. ¿Qué tienes para mí?, ¿aún nos va detrás Clear Channel Radio? –les dirigió una mirada de satisfacción, que no tardó en desaparecer, y exclamó–: ¿qué?

Podían ser imaginaciones suyas, pero Meredith creyó ver pánico en los ojos de Lenny.

–¿Te han dicho que no? –dirigió una rápida mirada hacia Evan, y se giró de inmediato–; ¿qué nos ofrecen?

Hubo una pausa, en la que la incomodidad del locutor se incrementó, y finalmente dijo:

–Parece interesante, pero quiero esperar a ver qué dice Hanson; no se trata solo de dinero, esta gente me cae bien –les guiñó el ojo, y continuó–: diles que tendrán que esperar hasta que decida lo que hago con Hanson, creo que ellos pueden tener la oferta ganadora –sonrió, pero su rostro había palidecido.

Meredith aprovechó para mirar a Evan, y supo por el revelador hoyuelo que él estaba conteniendo una sonrisa; estaba claro que también lo estaba escuchando todo, y ambos sabían que tenían a Lenny Doss en el bote si lo querían.

–Vale, tío –dijo Lenny, aún más pálido–; hay cosas más importantes que el dinero en un contrato. Deja que termine de hablar con Hanson, y luego te llamo; mientras, puedes decirles a los de Clear Channel que se relajen, les contestaremos cuando estemos listos –tras cerrar el teléfono y guardarlo en su bolsillo, movió la cabeza y murmuró–: representantes. No puedes vivir sin ellos, ni acabar con ellos.

–¿Era su representante? –preguntó Meredith con una sonrisa; ya lo sabía, por supuesto, y por las exclamaciones de Lenny y su lenguaje corporal, estaba casi segura de que Hanson era su única oferta. Casi sintió pena por él, pero tenía que ir por todas.

Lenny asintió en respuesta a su pregunta; obviamente, estaba intentando aparentar una tranquilidad absoluta.

–Sí, me ha dicho no sé qué sobre otra oferta, pero como debéis de haber escuchado, me interesa saber lo que me ofrece Hanson.

–Ya conoces nuestra oferta –dijo Evan, mirando de forma descarada su reloj–. Mira, Len, hoy tengo un poco de prisa, y sé que Meredith tiene que ir a otro sitio, así que creo que tendríamos que concretar las cosas.

–Sí –asintió ella–; Evan, ¿no tienes que hablar mañana con...? –murmuró un nombre que sonaba como «Artie Petro», uno de los mayores competidores de Lenny.

–Sí, es verdad –contestó él, entendiendo de inmediato lo que ella pretendía.

Ambos se volvieron hacia Lenny, que en ese momento parecía un mapache pillado in fraganti de noche en el cubo de la basura.

–Entonces vamos a firmar, tío –dijo él con voz chillona–; pongámonos en marcha.

–De acuerdo –Evan sonrió–, mañana le enviaremos el contrato a tu representante.

–Genial. Bueno, tengo otra cita –dijo Lenny, y tras lanzarle a Evan un guiño lascivo, añadió–: esta es personal, no sé si me entiendes.

–Te entiendo perfectamente –contestó Evan con calma; su voz era dura, pero teñida de humor.

Meredith tuvo que reprimir una risita; Lenny, ajeno a todo, asintió y dijo:

–Lunes por la mañana, a las seis en punto, ¿verdad?

–Exacto –dijo Evan.

Meredith se sorprendió de que el locutor fuera a empezar tan pronto con su programa, pero no dijo nada.

–Genial –Lenny asintió con entusiasmo–. Oye, un placer conocerte –le dijo a Meredith, y después se giró hacia Evan–: colega, estoy impaciente por empezar.

–Nosotros también –contestó él–; pero recuerda que tienes que mantenerte a raya, no olvides el párrafo once.

Lenny pareció desconcertado por un segundo, y preguntó:

–¿El párrafo once?

–Sí, del contrato que vas a firmar. El párrafo once estipula que tendrás que pagar cualquier multa que te imponga la Comisión Federal de Comunicaciones, y que en ese caso la empresa quedará libre de cualquier obligación contractual.

–Ah, eso –Lenny hizo un gesto con la mano, pero en sus ojos destellaba un nerviosismo que fue incapaz de esconder–. No os preocupéis, seré un niño bueno. No hay problema.

–¿Está seguro? –preguntó Meredith con preocupación. Jamás había podido reprimir durante mucho tiempo su perfeccionismo, y en ese momento cedió a la necesidad de asegurarse de que Lenny no causaría problemas, aunque sabía que debería mostrarse tranquila.

Doss la miró, y la mujer podría haber jurado que el temor en su voz lo envalentonó.

–Claro –dijo, con una confianza que no había mostrado en el último cuarto de hora–. Doss Man puede hacer lo que le plazca.

–Entonces, espero que quieras tener éxito en Hanson –comentó Evan, sin rastro de tensión o preocupación en la voz–; porque eso es lo que esperamos.

Meredith se limitó a observarlos, avergonzada de la momentánea muestra de inseguridad, y aliviada porque Evan parecía haber salvado la situación.

–Bueno, ya nos veremos, tío –dijo Lenny–. Y espero que a ti también –añadió, dirigiéndose a Meredith; con un gesto grandilocuente, tomó la mano de la mujer y la besó con galantería medieval–. Por nuestro futuro.

Ella asintió y le ofreció su mejor sonrisa, incapaz de pensar en ningún comentario apropiado.

–Bienvenido a Hanson –dijo, poco convincente–. Espero que tenga éxito.

–Cariño, puedes darlo por hecho –en un supuesto intento de dejar sin aliento a su audiencia, Lenny se quitó un imaginario sombrero y se marchó sin más.

El hombre no sospechaba que los pensamientos de sus acompañantes pronto se centrarían mucho más en el placer que en los negocios.

CAPÍTULO 9

CUANDO Lenny desapareció, Evan y Meredith se miraron e intercambiaron una sonrisa triunfal.

–Ha sido increíble –dijo Evan, tomando su jarra de cerveza, que a aquellas alturas debía de estar caliente. Tomó un sorbo y volvió a dejarla en la mesa de golpe–. ¡Simular que en el último momento dudabas si contratarlo o no!

El hombre sonrió, y Meredith sintió que se le derretía el corazón... o su libido. O *algo* muy dentro de ella. Evan continuó:

–Eso, señorita Waters, ha sido un golpe maestro. Simplemente genial.

Ella saboreó un segundo sus elogios antes de admitir:

–Ha sido sin querer.

¿Por qué confesaba? Había impresionado a Evan, él pensaba que ella estaba haciendo un buen trabajo. ¿Por qué admitir que casi lo había arruinado todo con un paso en falso?

–Pero me alegro de que todo haya salido bien –añadió.

–Formamos un buen equipo –dijo Evan, sin dejar de sonreír.

Sus ojos se encontraron, y la sonrisa del hombre vaciló ligeramente. Más serio, añadió:

—Siempre fue así.

Hubiera sido sencillo responder con un comentario sarcástico, pero ya habían discutido bastante por el pasado; era absurdo aferrarse a algo que había sucedido hacía tanto tiempo. Meredith lo había vivido, había crecido y acabado su formación académica, había construido una vida. No había sido el fin de su existencia, y no debería actuar como si hubiera sido así. Se limitó a comentar:

—Eso es cierto, en caso de que Lenny Doss resulte ser una buena adquisición; quizás acabemos de sentenciar a muerte a Hanson Media Group.

Evan negó con la cabeza.

—Ni hablar; sabes tan bien como yo que el tipo es un fanfarrón, pero un fanfarrón con muchos seguidores. Y esta vez quiere conservar su empleo —él terminó su cerveza, y señalando el vaso medio vacío de Meredith, preguntó—: ¿quieres algo más?

—No, gracias.

Estaba claro que él estaba dando por concluido el encuentro, y Meredith se sintió extrañamente decepcionada; mientras él le hacía un gesto a la camarera y pedía la cuenta, ella se reclinó en su silla, sin estar segura de cómo debía proceder.

Una parte de ella quería estar con él unos minutos más, seguir contemplando aquel atractivo rostro masculino a la favorecedora luz del restaurante, pero la lógica prevaleció.

—Será mejor que me vaya —dijo, y se levantó mientras tomaba su bolso.

—¿Tienes una cita? —preguntó Evan, intranquilo.

Ella sonrió sin comprometerse, y contestó:

–Quiero irme a dormir, Evan.

–¿Sola?

La sonrisa titubeante del hombre hizo que Meredith se preguntara si realmente le importaba su respuesta.

–Eso no es de tu incumbencia.

–Lo tomaré como un «no».

–Tómalo como quieras –dijo ella, fracasando estrepitosamente en su intento de sonar descarada.

–¿Qué te parece si al menos te acompaño hasta tu coche? –sugirió él.

Para entonces ambos estaban ya de pie, y Evan la tomó del codo para conducirla hacia fuera. Meredith no pudo negarse; después de todo, no podía alegar que el que la acompañara iba a retrasarla para su cita imaginaria.

–Vale, gracias –contestó.

–Mira, sé que trabajar conmigo no es la situación ideal para ti –dijo Evan, mientras salían al bochorno del aire veraniego; Navy Pier bullía de actividad, y sobre sus cabezas, en el cielo despejado, las estrellas brillaban como diamantes–. Para ser sincero, nunca pensé que volvería, y mucho menos que te pediría ayuda para salvar la empresa; pero creo que esta noche hemos hecho un buen trabajo juntos, quizás Helen acertó al pedirte que trabajaras conmigo.

Meredith respiró hondo y preguntó:

–¿Crees que sabía lo nuestro?, ¿le dijiste algo?

Evan hizo un sonido burlón.

–No hablaba con mi padre desde... –dudó por un segundo, y continuó–: bueno, desde que me marché, hace ya tantos años. Y, probablemente, ni siquiera nos dirigimos la palabra durante las semanas previas a que me fuera. Nunca antes había hablado con Helen, ella apareció después de que yo saliera del país.

Aquello era cierto, las investigaciones de Meredith lo confirmaban. Evan era solo un miembro de la familia a quien habían llamado en el último momento, para intentar salvar una compañía que resultaría casi imposible mantener a flote; al menos, bajo la dirección que había en ese momento.

–¿Crees que nuestra... antigua relación la beneficia o la perjudica de algún modo? –Meredith no pudo evitar plantear la cuestión, pero sabía que debería haberlo hecho. Era algo que había aprendido años atrás: no hacer nunca una pregunta, si no se estaba preparado para oír una respuesta sincera.

Evan la miró, pensativo; sus ojos marrones eran cálidos, como chocolate deshecho, pero ella pensó que se debía a la cerveza que había tomado, no a su cercanía.

–Creo que la beneficia –dijo él finalmente–; de hecho, beneficia a toda la compañía. Creo que tú y yo compartimos una comunicación especial, que nos sirve de ayuda en situaciones como la de esta noche.

–¿Una comunicación especial? –repitió ella, aunque creía saber a qué se refería.

–Nos entendemos el uno al otro –él debió de ver cierta resistencia en ella, porque añadió–: un poquito. Al menos, un poco más que si fuéramos completos extraños.

Meredith no estaba dispuesta a admitir algo así, de modo que dejó escapar un largo suspiro.

–Quizás. Creo que, si algo funciona, no hace falta intentar justificarlo –dijo.

Evan pareció sorprendido por sus palabras, pero tras una fracción de segundo, asintió y admitió:

–Sí, lo que importa es que funcione.

Estaban fuera del restaurante, lo suficientemente cerca para oír la música del local, pero lo bastante alejados para que no les molestara la algarabía del resto de clientes. Meredith sonrió con toda la confianza que pudo, y dijo:

–Puedo ir sola hasta el coche, pero gracias por querer acompañarme, realmente lo apre...

No pudo acabar la frase, porque un hombre bajo y delgado, quizás un adolescente, pasó volando por su lado, agarró su bolso y se lo quitó de un tirón tan fuerte que la hizo caer al suelo.

–¡Meredith! –Evan estuvo a su lado en un segundo–, ¿estás bien?

Jadeando casi, la mujer contestó:

–Sí, pero... me ha quitado el bolso. Tiene mi carné, mis tarjetas de crédito... –súbitamente, se dio cuenta de algo más–: tiene mi dirección.

–Espera aquí –dijo Evan, inmediatamente alerta–. O entra en el restaurante, ahora vuelvo.

–No, Evan, no intentes atraparlo –objetó Meredith–; a lo mejor tiene amigos, cómplices...

–No me importa si me está esperando con el mismísimo Tony Soprano, no va a salirse con la suya.

Antes de que ella pudiera protestar, Evan se había marchado, adentrándose en la noche a toda velocidad, como un purasangre; Meredith lo vio solo por un segundo antes de que desapareciera literalmente en la oscuridad.

Evan Hanson le había fallado en el pasado, cuando realmente importaba, pero en ese momento en que ella se estaba debatiendo con sus recuerdos, él se comportaba como un caballero andante.

En cuanto volviera sano y salvo y ella pudiera dejar de preocuparse, tendría que decidir cómo se sentía ante aquel cambio... y si quería hacer algo al respecto.

El tipo jugó sucio.

Evan casi lo había atrapado, su mano estaba a punto de alcanzar al menos el bolso, aunque no pudiera darle su merecido al ladrón, pero al parecer este tenía un cómplice esperándolo. Corriendo hacia un callejón, el individuo gritó algo así como «¡Carmen!», y un hombre mucho más grande salió de entre las sombras y le dio un puñetazo a Evan en el pómulo.

El golpe lo aturdió, y después tendría la certeza de que por unos segundos había parecido un personaje de dibujos animados, tambaleándose de un lado para otro, completamente desorientado. Entonces el fortachón lo tomó por la camisa, que se rasgó, y le dio un cabezazo para rematar la faena.

Para cuando consiguió incorporarse, hacía bastante que los dos asaltantes se habían ido. Mientras volvía hacia donde había dejado a Meredith, Evan sentía como si su orgullo se hubiera esfumado en el bolso de ella; la mujer seguía esperándolo en el mismo sitio, retorciéndose las manos.

–Lo siento –dijo mientras se acercaba a ella–, se han escapado.

–¿Había más de uno?

Evan asintió y contestó:

–Nuestro amigo tenía a un colega esperando al lado de unos contenedores de basura detrás de un restaurante.

–Oh, Evan... –Meredith lo miró, horrorizada.

–El tipo me cazó antes de que me diera cuenta –dijo

él, sacudiendo la cabeza–. Al parecer, no soy tan joven ni tan rápido como antes –la mirada conmocionada de ella incrementó su vergüenza; debería haber sido capaz de alcanzar al ladrón y recuperar el bolso–. Lo siento, Meredith.

Ella aún seguía mirándolo con los ojos abiertos de par en par.

–Tenemos que ir a curarte ahora mismo –dijo.

–No te preocupes, solo es una camisa rasgada –dijo él, quitándole hierro al asunto. Bajó la mirada, creyendo que vería un rasgón hasta el ombligo, pero se dio cuenta de que la camisa tenía una mancha roja bastante grande. Sangre.

De forma automática, Evan levantó una mano a su mejilla, y de inmediato sintió el corte abierto y la sangre caliente, resbaladiza y pegajosa que salía de la herida. Entonces empezó a doler, y Evan murmuró un juramento.

–Y que lo digas –dijo Meredith; avanzó hacia él y enlazó el bazo con el del hombre–. Mi coche está en el aparcamiento, ahí al lado; ¿crees que podrás llegar?

Evan disfrutó del contacto de la piel femenina; parte de él quería ir con ella, pero sabía que no era necesario.

–El mío está solo a un par de calles de aquí –dijo–. Puedo ir por él, no te preocupes.

–No vas a conducir –dijo Meredith con firmeza.

–Bueno, pues no pienso manchar tu coche de sangre.

–Tengo pañuelos de papel en la guantera.

Evan soltó una carcajada y comentó:

–Sí, con eso bastará.

–Bastará hasta que lleguemos al hospital –contestó Meredith, mirándolo con severidad.

–No, ni hablar. No voy a ir al hospital, esto es solo...

–se tocó la mejilla de nuevo, y dio un respingo de dolor–. Solo es una herida superficial; mañana no habrá ni rastro de ella.

Meredith resopló y lo arrastró hasta su coche.

–Sí, porque seguramente tendrás encima más vendas que las que llevaba Boris Karloff en *La momia*.

–Ese era Brendan Fraser –bromeó Evan.

–No, me refiero al original, y de todas formas, Brendan Fraser no hacía de momia en esa película, era... –Meredith se detuvo en seco al ver la expresión de sus ojos–. Vale, me estás tomando el pelo.

–Eres demasiado fácil.

Ella se detuvo delante de un pequeño utilitario verde de marca japonesa, y dijo:

–Ya te arrepentirás cuando te limpie la herida con agua oxigenada; a lo mejor tengo que hacerlo un par de veces... solo para asegurarme, no sé si me entiendes.

Evan gimió, y ella lo metió casi a empujones en el coche.

–Te entiendo –refunfuñó él.

Meredith cerró la puerta y se apresuró a ir hacia el asiento del conductor; sus pasos rápidos revelaban lo nerviosa que se sentía por toda aquella situación. Sangre, heridas... era horrible.

–Evan, de verdad creo que tendríamos que ir a urgencias; a lo mejor necesitas unos cuantos puntos de sutura.

Él movió su dolorida cabeza y contestó:

–Ni hablar, no voy a pasar la noche esperando en una sala abarrotada para que me hagan unas curas que puedo hacer yo mismo.

Ella arrancó el coche y se dirigió a la intersección con la carretera principal.

–¿Dónde vives? –preguntó.

Evan no estaba preparado para contestar aquella pregunta.

–¿Evan? –insistió ella varios segundos después, al ver que él no respondía.

¿Cómo podía decirle que dormía en su despacho, sin parecer un perdedor patético? A él le parecía algo lógico, ya que no estaba seguro de si se quedaría demasiado tiempo, y no quería alquilar un apartamento por un año cuando quizás se hubiera marchado en un mes; sin embargo, admitir la verdad en voz alta delante de Meredith resultaba muy embarazoso.

Pero era inevitable, o parecería que no quería que ella supiera dónde vivía.

–Si me dejas en la próxima esquina, puedo tomar el metro –de acuerdo, no quería que supiera dónde vivía.

Meredith paró el coche y se volvió hacia él, con la ceja izquierda enarcada.

–Quieres que deje que te bajes, y con esas pintas –se aseguró de mirarlo bien de arriba abajo–, pretendes tomar el transporte público, asustando a pobres ancianitas y a niños pequeños, para desmayarte y pasar la noche viajando sin rumbo de estación en estación, hasta que finalmente mueras desangrado.

Él esbozó una sonrisa y admitió:

–Haces que parezca una idea bastante mala.

–Venga, Evan, déjate de tonterías; ¿cuál es la dirección?

Él se la dio tras un segundo de indecisión, y Meredith retomó la marcha. Al momento se dirigió hacia el arcén y paró el motor.

–Esa es la dirección de la oficina –dijo.

–Sí, es verdad –asintió él.

–¿Estás intentando evitar decirme dónde vives?

–No, intentaba evitar decírtelo, porque sé que suena raro, pero me has obligado a confesar.

–Vives en la oficina.

–De momento, sí.

–¿Hablas en serio?

–¿Acaso no parezco serio?

–Pareces un espanto.

–Eso sí que es serio –concedió él.

Ella se aferró al volante y miró fijamente hacia delante, completamente inmóvil; al fin, dijo:

–Voy a tener que llevarte a mi casa.

–Te estás tomando esto demasiado en serio, de verdad –rio él–. Mira, llévame de vuelta a la oficina y ya está; me asearé, me pondré una venda, y como nuevo. En serio, Mer, he estado en peores condiciones, sé de lo que estoy hablando.

Una sensación imposible de definir pasó entre ellos; Evan no estaba seguro de si era sorpresa porque él había utilizado el antiguo apodo, consternación por tener que soportar una situación tan extraña, o la simple irritación de ella al darse cuenta de todas las llamadas de teléfono que tendría que hacer para cancelar sus tarjetas de crédito y sus cheques.

Sin embargo, el sentimiento le resultaba... familiar.

–Evan –dijo Meredith–, creo que puedo ver el hueso del pómulo en ese corte.

–Venga ya.

–Sabe Dios lo que veré con una buena luz –la mujer respiró hondo, volvió a arrancar el coche y se reincorporó al tráfico–. Podemos curarte en mi casa –dijo–;

si aún tiene tan mal aspecto como sospecho, voy a obligarte a ir al hospital.

Él sabía que la herida no era tan grave, así que no tuvo dificultad en acceder.

–Parece razonable.

–De acuerdo.

Meredith siguió conduciendo, y él la observó desde su posición privilegiada a su lado; ella tenía que mantener la vista en la carretera, de modo que él podía estudiar su perfil a placer, todo el tiempo que quisiera. Y eso fue lo que hizo.

–¿Qué estás mirando? –preguntó ella casi de inmediato, mirándolo de reojo.

–A ti –contestó él suavemente.

–Eso ya lo sé. ¿Por qué?

Él cambió de posición en el asiento, intentando ponerse más cómodo, y contestó:

–¿Tú qué crees? Porque conocía tu rostro mejor que el mío, y verlo de nuevo después de todos estos años es fascinante.

–El proceso de envejecimiento en acción –dijo ella, moviendo la cabeza.

–No estás envejeciendo, sino madurando...

Ella soltó un bufido burlón.

–Oye, espera un momento, no me has dejado terminar; has madurado de una chica guapa a una mujer realmente hermosa –dijo, con total franqueza.

De hecho, no tenía palabras para expresar lo sincero que era, y de pronto la comprensión de lo que se había perdido en los últimos doce años lo golpeó de lleno, como un golpe en el estómago. Él tendría que haber estado junto a Meredith mientras aquellos cambios sucedían, tendría que haber sido el hombro en el que ella llorara cuando murió su padre, tendría que haberla visto apagar las velas del pastel cuando llegó a la mayoría de edad; él tendría que haber sido el causante de aquellas suaves líneas que la risa había dibujado alrededor de sus ojos.

Tendría que haber hecho tantas cosas por ella, con ella. Tantas cosas irrecuperables...

–Eres una mujer hermosa, Meredith, increíblemente hermosa –se oyó decir–. En todos los aspectos.

Evan se dio cuenta, incluso en la oscuridad del coche, de que la tez pálida de ella se había coloreado. Meredith inclinó la cabeza hacia abajo en un gesto que el hombre había presenciado mil veces, y aquel sedoso cabello castaño escondió el rostro femenino, al menos desde donde él estaba.

–No sé qué decir, Evan.

–Es un cumplido bastante normal –dijo él–. Con «gracias» bastaría, o simplemente nada; no tienes que decir nada en absoluto.

–Gracias –dijo ella, con una ligera risita.

El hombre sonrió para sí. Varias semanas atrás, no tenía ni idea de que volvería a ver a Meredith Waters, pero cuando sucedió, él se había enfrentado a sus encuentros con temor y cierta torpeza adolescente residual.

Sin embargo, aquella noche había cambiado algo, o quizás las cosas habían encajado cada una en su lugar.

Hasta que recibió el puñetazo en la cara, había pensado que Meredith y él continuarían con aquella extraña relación de antiguos amantes medio desconocidos, que cuando él se marchara ella daría gracias a Dios.

Pero en ese momento... era difícil de describir, pero Evan sentía que algo muy dentro de sí volvía a estar completo.

Permaneció sumido en sus pensamientos mientras circulaban por las familiares y, sin embargo desconocidas, calles de su infancia. Era extraño, pero aún sabía perfectamente el recorrido: a la izquierda en Travilia Road, otra vez izquierda en Denton, derecha en Farm Ridge, y entonces giro a la izquierda en... Village Crest Avenue.

¿Acaso estaba alucinando?

—Meredith, ¿adónde vamos? —preguntó, mientras su pecho empezaba a tensarse con alarma.

—A mi casa.

Sí, por supuesto, a su casa. Claro. Había estado en aquel lugar cientos de veces, sabía la respuesta antes de preguntar; pero también sabía que ella ya no vivía allí. Meredith había crecido, se había graduado, había continuado con su vida. Estaba claro que, o ella se refería a otra cosa, o él tenía alucinaciones.

Por un instante de locura, Evan se preguntó en qué año estaban; la canción que sonaba en la radio era antigua, así que no ayudaba. Las casas... eran las mismas, de modo que tampoco le decían nada.

—¿Quién es el presidente? —preguntó como un tonto.

—¿El presidente de qué?

—Eh... ¿de los Estados Unidos?

—¿Qué?

Evan tragó saliva; era una pregunta absurda, no había viajado al pasado. Meredith se dirigía a la casa de sus padres por alguna razón que quedaría aclarada en unos minutos. Quizás lo llevaba allí porque no quería que él supiera dónde vivía, o a lo mejor creía que necesitaba ayuda. Maldición, era posible que tuviera miedo de estar a solas con él; con el aspecto que tenía, no podía culparla. Pero Meredith lo contemplaba con algo más que preocupación.

–Vale, se acabó, tenemos que ir al hospital ahora mismo. Creo que tienes una conmoción cerebral.

–No, estoy bien –dijo él de inmediato, aunque no podía estar seguro de ello.

–Entonces estás loco y necesitas ayuda psiquiátrica. Evan, ¡me has preguntado quién es el presidente!

–Lo sé, estaba bromeando un poco; es que podría jurar que vamos a... –no acabó la frase, no hacía falta. Meredith acababa de detenerse justo enfrente de la casa.

La casa de sus padres, que estaba exactamente igual que la última vez que la vio, hacía doce años y medio, en la noche del baile. La noche en que había abandonado Chicago y a la chica a la que amaba, pensando que sería para siempre.

CAPÍTULO 10

AL VER a Evan en la oficina, Meredith había conseguido separar sus recuerdos de él de la realidad que estaba viviendo en ese momento; pero al aparcar delante de la casa en la que vivía cuando salía con él, una casa a la que había vuelto hacía poco tiempo, se sintió como si hubiera viajado en el tiempo.

Por la expresión en el pálido rostro de Evan, estaba claro que él sentía lo mismo.

–Le compré la casa a mi madre cuando ella se mudó a Florida el año pasado –le explicó.

–Por un segundo, he pensado que me había vuelto loco –comentó él con aspecto aliviado.

Meredith sacó la llave del arranque y dijo:

–Sí, yo también he pensado lo mismo.

–Gracias por decirlo –contestó él, con aquel humor lacónico que ella adoraba.

–Debería haber puesto un CD de los Pixies y haberte preguntado tu nota en el examen –continuó ella–; probablemente habría podido tomarte el pelo, a menos que nos hubiéramos encontrado un deportivo último modelo, o algo así.

–Eres muy mona –dijo él, mientras salía del coche–. Una auténtica monada.

–Vaya, he sido degradada –Meredith encontró la llave de la casa cuando llegaban al porche delantero–; hace un rato, dijiste que era hermosa.

Él señaló hacia su cabeza.

–Estaba herido, no sabía lo que decía.

–Ah –ella metió la llave en la cerradura y abrió la puerta–, buena excusa.

Entraron en el vestíbulo, que tenía una temperatura agradable gracias al aire acondicionado, y Evan miró a su alrededor, sintiendo como si hubiera dado un salto en el tiempo.

–Te entiendo –dijo ella–; tengo que redecorar, pero no he tenido tiempo. ¿Te acuerdas de dónde está la cocina?

–Claro –asintió él.

–Ve y siéntate, yo voy a buscar el botiquín.

Meredith subió rápidamente las escaleras, con piernas temblorosas. Evan tenía un aspecto realmente horrible. Y era culpa suya, pensó mientras entraba en el cuarto de baño y abría de un tirón las puertas del armario.

Su padre siempre le había dicho que tenía que ser mucho más cuidadosa al andar por el centro de la ciudad, la había avisado una y otra vez de que era muy descuidada en cuanto a su seguridad personal. Ella le había contestado que era demasiado paranoico, que no iba a pasarle nada y que dejara de preocuparse tanto.

Rebuscó en las estanterías, apartando productos de limpieza, rulos y botellas de champú medio vacías, hasta que al fin encontró la caja blanca de plástico con la cruz roja pintada en la parte frontal. Debía de tener unos mil años, pero Meredith dudaba que nada de lo que había dentro se hubiera abierto alguna vez.

Agarró una toallita de manos para limpiar el rostro

de Evan, recordó la cantidad de sangre, y optó por tomar una gran toalla de baño; pertrechada con todo aquello, se apresuró a bajar las escaleras hacia la cocina.

Evan la esperaba sentado en un taburete al lado de la encimera, sin camisa, mientras seguía mirando a su alrededor con expresión perpleja.

Ya se había lavado la sangre de la mejilla, y aunque la herida no era tan espectacular como Meredith había creído, era peor de lo que él había dicho. Había doblado unas servilletas de papel, y las estaba usando para ir aplicando presión.

–He tirado la camisa –respondió él a la pregunta silenciosa de la mujer–. Creí que era menos grosero estar aquí sentado medio desnudo que con una repugnante camisa ensangrentada.

–Buena idea –dijo ella, pero de repente sintió la boca seca.

El torso masculino era mucho más musculoso y desarrollado que años atrás, perfilado con una poderosa musculatura. Su piel estaba bronceada por el sol de donde fuera que hubiera estado en la última década, y parecía recién salido de las páginas de una edición de sol y surf de *Sports Illustrated*.

–¿Te duele? –preguntó mientras ponía antiséptico en un poco de algodón.

–No hace cosquillas –contestó él, mientras contemplaba el algodón con una expresión dubitativa en los ojos.

–Esto tampoco te las va a hacer –dijo ella mientras aplicaba cuidadosamente el antiséptico a la herida.

Evan soltó una palabrota y se echó hacia atrás.

–¡Lo siento! –Meredith retrocedió un paso–, pero es necesario, si no quieres que se te infecte.

Él esbozó una sonrisa forzada y dijo:

—No sé, a lo mejor me duele menos.

—Sí, hasta que la cara se te ponga verde y se caiga a trozos. Venga —Meredith le puso la mano en la cabeza, y sus dedos tocaron el cabello de Evan por primera vez en una eternidad. Ella tragó con fuerza, tomó aire para tranquilizarse, y dijo—: a la de tres.

—¿No quieres decirme que esto te va a doler a ti mucho más que a mí?

—Estoy deseándolo, pero intentaré contenerme —sonrió ella.

—Gracias —dijo él, y dio un respingo cuando la mujer volvió a aplicar el antiséptico.

Cuando la herida estuvo un poco más limpia y Meredith pudo verla con más claridad, se dio cuenta de que no era tan grave como había temido. Probablemente, ni siquiera necesitaba puntos de sutura.

—Creo que uno de estos vendajes será suficiente —dijo.

—Ya te dije que no era tan grave.

Ella se encogió de hombros, tomó una venda del botiquín y dijo:

—Yo iría de todas formas a urgencias, para asegurarme de que no hay que coser la herida; puede que te quede una cicatriz.

—Mi cara no es tan bonita como la tuya —Evan sonrió de oreja a oreja, y añadió—: además, una cicatriz me haría parecer más duro, ¿no crees? Aunque no puedo decir que no pude atrapar a un par de gamberros, y que me dieron un puñetazo; tendré que inventarme una historia más emocionante. Podría decir que maté a un tipo mientras defendía a una monja y a un grupo de huerfanitos. ¡Ay!

–Perdona –Meredith hizo una mueca–, no te lo había colocado bien.

–Dios, ¿me has arrancado algo de piel?

–No te preocupes, tengo otro –ella sonrió y le puso un nuevo vendaje de forma impecable–. Ya está, como nuevo. Bueno, casi.

Él levantó la mano para tocar la zona afectada, pero rozó la mano de ella; por un momento mantuvieron el contacto de sus dedos, y algo atravesó el pecho de Meredith con la fuerza de un tren de mercancías.

La mujer retiró su mano e intentó simular que no se había dado cuenta de la caricia accidental, que no había sentido ninguna reacción.

Evan tocó la venda de su mejilla, y dijo:

–Perfecto –mirándola a los ojos, añadió–: podrías dedicarte a la enfermería.

–Espero no tener que hacerlo –dijo ella distraída, pensando aún en el roce de sus dedos–; ya tengo dos trabajos.

Meredith cerró la boca en cuanto pronunció aquellas palabras; ¿cómo podía ser tan tonta? Nunca era tan poco profesional. Era totalmente imprescindible que no revelara sus secretos, y Evan Hanson era la última persona sobre la faz de la tierra ante la que podía bajar la guardia.

Había tantas cosas que él no podía llegar a saber nunca... pero, naturalmente, él preguntó:

–¿Dos trabajos?

Ella pensó a toda prisa, y contestó:

–Sí, trabajar con Hanson Media y trabajar contigo –no fue difícil encontrar aquella explicación, pero le resultó casi imposible lograr que su voz sonara tranquila y despreocupada.

–Ya veo. Soy todo un problema adicional, ¿verdad? –rio él.

Ella respiró, muy tensa. Se lo había creído, gracias a Dios.

–No creo que sea la primera vez que oigas algo así –dijo.

–Demonios, Meredith, ni siquiera es la primera vez que *tú* me dices algo así.

Se sintió aliviada porque él se lo había tomado en broma, aunque ella no había pretendido insultarlo.

–Solo estaba bromeando, Evan; no eres tan malo.

–Tú tampoco eres tan mala –sus ojos marrones volvieron a atrapar los de la mujer.

El aliento de Meredith quedó atrapado en su pecho, y lo apretó como un puño de hierro. No podía respirar ni moverse, por miedo a detener algo que su mente sabía que no debía suceder.

Él iba a besarla, y ella quería que lo hiciera.

Él la miró durante un segundo, dos, tres más de lo que ella esperaba; la mujer se estremeció por dentro, con una necesidad adolescente de que él la deseara tanto como ella a él.

Finalmente, sin decir una palabra, él la tomó en sus brazos y cubrió la boca femenina con sus labios.

Una vocecilla dentro de Meredith se resistía, le rogaba casi que retrocediera antes de que fuera demasiado tarde; la mujer se conocía lo suficiente para saber que nunca había podido resistirse a Evan, sin importar cuánto lo hubiera intentado. Aunque habían pasado los años, y tenía más autocontrol en lo que se refería a pizza y pasteles de chocolate, al parecer aún sentía una debilidad irresistible por Evan Hanson.

Ella se apoyó contra él y profundizó el beso, sorda momentáneamente al sentido común. Había pasado mucho tiempo desde la última vez que habían estado así, y una parte de Meredith aún concentraba toda la energía acumulada por esperarlo. Era como si estuviera enmendando un error del pasado, aunque en el fondo sabía que era algo imposible.

Pero podría besar a Evan durante una semana, un mes, un año... doce años. Él poseía una parte de ella que Meredith había dado por perdida durante todo aquel tiempo.

La boca del hombre se movió con dulzura sobre la de ella, comprobando de forma tentativa las reacciones de la mujer; estaba claro que Evan se estaba acercando a un punto sin retorno.

Su lengua tocó la de ella, y el cuerpo entero de Meredith se tensó como las cuerdas de una guitarra; acarició la espalda masculina, saboreando la sensación de los duros músculos bajo sus manos, hasta que llegó a la parte superior y lo acercó aún más a ella.

«¡Más cerca!», le gritó algo en su interior, «acércate más a mí, no me sueltes. Esta vez, no me sueltes jamás».

Él deslizó sus fuertes manos hasta la parte baja de su espalda, y la apretó con firmeza contra sí. Ella se sentía segura en su abrazo, sentía que era allí donde debía estar. Cuando las puntas de los dedos de él se deslizaron bajo su camisa y presionaron la base de su espalda, la íntima sensación de piel contra piel hizo que ella enloqueciera de deseo. Como si leyera sus pensamientos, él bajó las manos aún más, y Meredith se estremeció de placer.

Mientras los labios de Evan se movían sobre los suyos y las manos masculinas acariciaban su piel y la apretaban contra su cuerpo, Meredith sintió que el dolor sordo que había residido en su estómago durante tanto tiempo por fin empezaba a remitir.

La vocecita en su cabeza seguía insistiendo en que aquello era un error, que Evan la había traicionado sin piedad antes y que quizás volviera a hacerlo. Pero lo que ella pensara que estaba mal no importaba.

Solo importaba lo que sentía que estaba bien.

Pero... ¿en qué estaba pensando?, ¿desde cuándo Meredith Waters se permitía hacer algo que sabía que era una equivocación? Se apartó bruscamente de él y dijo:

–Se me ha olvidado preguntarte si querías un analgésico.

–Estoy bien, gracias –dijo Evan, mirándola con expresión sorprendida.

Él intentó volver a acercarla, pero Meredith retrocedió.

–¿Quieres un poco de whisky? –preguntó ella con poca convicción–; necesitarás algo para el dolor.

–No, Meredith, de verdad, estoy bien –él la miró atentamente, y dudó antes de añadir con tono firme–: de hecho, debería llamar a un taxi y dejarte tranquila.

–No –se apresuró a contestar ella, con demasiada rapidez–. Evan, por el amor de Dios, no pienso permitir que vuelvas a dormir a la oficina esta noche; tienes que quedarte aquí.

–¿Quedarme aquí?, ¿dónde es «aquí»?

–Aquí, en el dormitorio para invitados; de hecho, puedes elegir entre tres habitaciones.

Él enarcó una ceja, y preguntó:

–¿Cualquiera de ellas? –la miró con una mueca lasciva.

–Siempre y cuando la habitación no esté ocupada –Meredith sonrió ligeramente.

Él chasqueó los dedos, fingiendo estar decepcionado, y dijo:

–Odio dormir solo.

–Sí, y supongo que no has tenido que hacerlo muy a menudo –estaba bromeando, pero la mujer sintió una extraña sensación dolorosa en el estómago al decir aquello.

–Más de lo que crees, Meredith –contestó él con voz totalmente seria.

Sus ojos se encontraron, y una descarga de energía relampagueó entre ellos. Ella quería lanzarse a sus brazos y besarlo hasta olvidarse de todo lo que la rodeaba, pero sabía que no podía hacerlo. Tenía que ir recordándoselo a sí misma una y otra vez, claro, pero sabía que debía controlarse.

–En fin –dijo ella con voz cortante–, el hecho es que esta noche vas a dormir solo, y que vas a hacerlo aquí.

–No es necesario, de verdad.

–¿Qué clase de persona permitiría que alguien arriesgara la vida para recuperar un estúpido bolso, y después lo dejaría marcharse sin más? –Meredith negó con la cabeza, y añadió–: yo no, desde luego. Ya puede subir a la habitación, caballero, necesita descansar.

Al levantarse, Evan se tambaleó un poco y perdió ligeramente el equilibrio, pero bastó para que ella dijera:

–¿Lo ves? Acabas de demostrar que tengo razón.

–Sí, señora.

–Tengo algunas camisetas viejas bastante grandes –siguió ella–; iré a buscar una para que te la pongas.

–Duermo desnudo –contestó él con una sonrisa taimada en los labios–. ¿Lo habías olvidado?

Meredith respiró hondo. No, no lo había olvidado; cuando dormía con él, ella también lo hacía desnuda. Ahorraba tiempo. Pero no iba a pensar en eso, y no estaba dispuesta a dar ninguna muestra de que lo había hecho, así que se limitó a decir:

—Creía que a lo mejor las circunstancias te habrían vuelto más recatado.

—Las circunstancias me están volviendo más... —sacudió la cabeza, y dijo—: bueno, vale, ya veo lo que quieres decir.

—Perfecto, sigue así. Hay un albornoz en la puerta del cuarto de baño, puedes ponértelo y darme tus pantalones y... todo lo demás. Te lo lavaré.

—No es necesario, de verdad.

—Deja de decir eso y dame la ropa, ¿de acuerdo?

—Te has vuelto más mandona con los años.

—Evan.

Él levantó las manos en un gesto de rendición, y dijo:

—Vale, vale, ya voy. Me desnudaré para ti, no hay problema.

Meredith suspiró.

—¿Te acuerdas de lo que te dije acerca de ser capaz de trabajar contigo?

—Eh... sí.

—Estoy empezando a pensar que debería pedir un aumento de sueldo —dijo, y sonrió—. No me pagan lo suficiente por esto.

—Hablaré con la jefa por ti —contestó él, riendo.

—Bien —Meredith lo condujo hasta la base de las escaleras—; y ahora, ve al cuarto de baño. Tira la ropa para abajo cuando te la hayas quitado.

—Vale.

Evan subió las escaleras, y ella esperó apoyada contra la pared; unos dos minutos después, él le lanzó la ropa y dijo:

–¡No los almidones!

Iba a ser una larga noche.

CAPÍTULO 11

ERA extraño tener a Evan Hanson durmiendo en su casa, muy extraño.

Meredith tenía que ir recordándose que aquello estaba sucediendo realmente mientras esperaba sentada a que la lavadora y la secadora acabaran, para poder llevarle la ropa limpia e irse a dormir.

Hubo una época en la que jamás habría imaginado que podría perdonarlo y compartir tiempo con él, pero ese sentimiento se estaba desvaneciendo; Evan no había tenido la culpa de que el negocio de su padre se hubiera arruinado, el culpable había sido George Hanson. A fuerza de indagar en Hanson Media y de hablar con gente que lo conoció, Meredith tenía cada vez más claro que aquel hombre había sido una persona implacable; para él nada era personal, todo era una guerra constante.

En ese momento, en vez de culpar a Evan por los pecados de su progenitor, lo compadecía por tener a alguien así como padre. Si era difícil competir con él en los negocios, aún debía de ser peor tener que estar a la altura de sus expectativas en calidad de hijo.

De hecho, recordaba algunas de las peleas de Evan con aquel hombre; él no solía hablar mucho del tema, pero había pasado por períodos de introspección silenciosa que la habían preocupado, y al final había conseguido sonsacarle que se debían a la mano dura de su padre. Para Meredith, aquello había sido una razón más para odiar a George Hanson.

Cuando aceptó aquel trabajo, había pensado que sería fácil a causa de los malos recuerdos que conservaba del apellido Hanson; había creído que no le remordería la conciencia, que no se sentiría como una traidora, porque cualquier sentimiento cariñoso que hubiera tenido hacia aquella familia se había transformado en todo lo contrario.

En cierto sentido, incluso le había parecido la oportunidad perfecta de vengarse, aunque ellos nunca llegaran a saber lo que había hecho.

Pero en ese momento... las cosas eran un poco más complicadas, aunque a pesar de todo iba a completar su trabajo; ante todo, era una profesional. Pero iba a tener que poner las cosas en perspectiva en lo concerniente a Evan; tenía que recordar que, aunque él no había tenido nada que ver con la mayor tragedia de su vida, la ruina y muerte de su padre, era directamente responsable de su mayor desengaño amoroso.

De eso no había ninguna duda.

Cuando la secadora se detuvo, Meredith sacó los vaqueros y vio por la talla de la cintura que eran más grandes que los que el hombre solía llevar años atrás; ella ya se había dado cuenta de que estaba más fornido que antes.

Mientras subía por las escaleras, recordó una conversación que habían tenido en el pasado; el recuerdo la golpeó con claridad cristalina con tanta fuerza, que tuvo que detenerse y sentarse un momento.

Una noche, se habían escabullido de sus casas porque les había parecido muy romántico; ella recordaba que había sido idea suya, pero Evan le había dado el capricho. Él se había presentado bajo su ventana a las dos de la madrugada, y ella había descendido por la espaldera de la pared, igual que en las películas.

Era verano y hacía calor, incluso por la noche; el aire estaba cargado de humedad. Habían ido a una cala apartada que él conocía en el lago Míchigan, y hablaron durante horas sentados en la playa. Meredith no recordaba demasiado de la conversación; habían hablado de sus pasados, de sus sueños y de otros temas típicos de adolescentes.

Recordaba aquella ocasión en concreto porque de pronto se había desatado una breve pero violenta tormenta, que había interrumpido la pacífica noche estrellada durante diez estruendosos minutos.

Besar a Evan durante aquellos diez minutos había sido uno de los momentos más románticos de su vida. Era increíble que pudiera recordar más detalles, pero así era; Evan le había preguntado si su padre se había planteado en alguna ocasión vender el periódico.

—No lo sé. ¿Por qué? —había contestado ella.

Evan se había encogido de hombros, pero en ese momento Meredith se daba cuenta de que él se mostraba bastante tenso.

—Es solo que parece un negocio muy competitivo; he oído que a veces las cosas se ponen bastante feas, que unas publicaciones acusan a otras de publicar mentiras, y cosas así. Es difícil que un periódico se recupere después de una imputación como esa.

Ella se había reído, sin entender lo que él le estaba diciendo.

—Oh, venga ya, Evan, nadie se toma esas cosas en serio; mira esas revistas que dicen que los extraterrestres están entre nosotros; todo el mundo sabe que no publican más que mentiras, pero siguen en el negocio.

—Es diferente, Meredith; no querría estar en el negocio de las noticias por nada del mundo, y no me gustaría que un hombre tan agradable como tu padre tuviera problemas.

—Mientras mantenga a los extraterrestres lejos de la primera plana, todo irá bien.

Recordaba haber dicho aquello, porque en ese momento había vuelto la mirada hacia el cielo y había visto una estrella fugaz. Había deseado tener un futuro largo y feliz junto a Evan... quizás la estrella había sido una nave alienígena.

Meredith continuó subiendo las escaleras con la ropa del hombre, recordando una y otra vez las palabras de él; ¿cómo había podido olvidar una conversación tan significativa?

Aunque quizás la pregunta adecuada sería cómo había podido recordarla; dada la poca importancia que le había dado en su momento, y todas las cosas mucho más interesantes para una adolescente que habían sucedido aquella noche, era asombroso que no la hubiera olvidado del todo.

Se preguntó si Evan la recordaba también.

Cuando llegó a la habitación de invitados que le había indicado, Meredith tocó suavemente a la puerta, pero no recibió respuesta. Abrió poco a poco y echó un vistazo al interior; la tenue luz del cuarto de baño se derramaba por la habitación, y pudo ver que Evan estaba acostado de lado, respirando de forma sosegada y rítmica.

Meredith colocó la ropa sobre el tocador y empezó a marcharse, pero entonces se volvió hacia él. Como si se tratara de otra persona, incapaz de detenerse, volvió hacia la cama y lo contempló. Se dijo que solo quería asegurarse de que Evan estaba bien, por si había sufrido una conmoción, pero la verdad era que quería estar cerca de él, observarlo sin que se diera cuenta.

Pasó unos diez minutos allí de pie, contemplando aquel apuesto rostro medio escondido en las sombras de la noche; era un rostro en el que había pensado muchas veces a lo largo de los años, primero con amor, después con dolor y confusión, finalmente con enfado.

En ese momento, no estaba segura de cómo se sentía, y eso era lo que más la asustaba.

Meredith se volvió para irse y pisó una tabla del suelo, que protestó escandalosamente. Se quedó congelada, intentando oír el sonido pausado de la respiración del hombre, pero lo que oyó fue su voz.

—¿Meredith?

—Te he traído tu ropa, está sobre el tocador —dijo, volviéndose hacia él.

Evan miró con ojos adormilados al mueble, que estaba en el otro extremo de la habitación, y a continuación volvió la vista hacia ella, que estaba junto a la cama y, obviamente, bastante lejos de la ropa.

—Y entonces me he acercado para ver cómo estabas y comprobar que respirabas con normalidad —explicó ella en respuesta a la pregunta muda del hombre—. Ya sabes, las comprobaciones típicas después de una conmoción: respiración estable, capacidad de despertarse... felicidades, las has superado.

Él se sentó en la cama, y cuando las sábanas cayeron

sobre su regazo, su torso desnudo quedó al descubierto. Al parecer, las camisetas que le había ofrecido no le habían servido de mucho. Y al parecer, la resolución de Meredith de mantenerse a distancia estaba debilitándose; aquella visión era capaz de alimentar las fantasías de cualquier mujer de sangre caliente, y ella la tenía justo delante de sus narices.

—Gracias —dijo él—; ¿estoy bien?

—Creo que vivirás.

—Supongo que no se puede pedir nada más.

La situación era difícil de sostener, con toda aquella charla superficial en una habitación cargada de tensión.

—Si no necesitas nada, me iré a dormir —dijo Meredith, y tragó saliva—; ¿necesitas algo?

El silencio duró lo que tres latidos de sus corazones.

—Hay una cosa...

—¿El qué?

—Yo... —Evan se detuvo, y dijo—: déjalo, no es nada.

—Oh. Bueno, si estás seguro...

Él asintió, y ella añadió:

—Entonces, buenas noches.

—Buenas noches.

Meredith empezó a marcharse, se detuvo en seco y volvió hacia él. Tenía que preguntárselo, si no lo hacía, se volvería loca.

—¿Evan?

—¿Mmm? —él volvió a sentarse.

—¿Podemos hablar un momento?

—Claro —contestó él mientras se apartaba un poco para dejarle sitio—. Siéntate.

Ella se sentó en el borde de la cama, y lo miró de frente.

—Quiero que seas completamente sincero, ¿de acuerdo?

—De acuerdo —Evan frunció el ceño.

—¿Sabías lo que tu padre planeaba hacerle al negocio del mío?

Él respiró hondo y expulsó el aire en una bocanada larga y tensa.

—Supongo que era inevitable que habláramos de esto tarde o temprano.

—Así que lo sabías.

—Sí, tenía una ligera idea.

—¿Una *ligera idea*?, ¿o estabas seguro de ello? —las posibilidades se amontonaron en su cabeza—. ¿Te lo contó él?

Evan se pasó la mano por el pelo y la miró.

—¿Estás segura de que quieres hacer esto?

El estómago de Meredith empezó a retorcerse, dolorido. Era como recibir una llamada y saber que eran malas noticias antes de descolgar.

—Explícamelo —dijo.

—Sabía que mi padre quería comprar el periódico del tuyo, todo el mundo lo sabía. Incluso le hizo una oferta, pero tu padre la rechazó.

—Mi padre amaba su trabajo.

—Ya lo sé —dijo Evan con voz suave—; él no tuvo la culpa de nada.

—Claro que no —contestó ella, un poco a la defensiva—. De modo que tu padre te dijo que iba a difundir mentiras sobre el periódico de mi padre, para poner en tela de juicio su credibilidad, ¿es eso?

—No, no me lo dijo —Evan escogía sus palabras con cuidado y hablaba con lentitud.

–Entonces, ¿cómo lo supiste? –Meredith quería respuestas de inmediato.

–Una noche, lo oí hablar con alguien por teléfono; no fue difícil atar cabos y comprender lo que planeaba –sacudió la cabeza, y añadió–: intenté avisarte una noche...

–¿En la playa?

–Sí –asintió él–, ¿te acuerdas de eso?

–Lo acabo de recordar –Meredith se movió ligeramente, y el colchón chirrió–. Pero, si lo sabías, ¿por qué no me lo dijiste directamente? Fuiste tan ambiguo... no tenía ni idea de que querías advertirme de algo tan importante –le escocían los ojos, pero se negaba a echarse a llorar–. ¿Por qué no me lo dijiste sin más?

Durante un largo momento, Evan no dijo nada; al fin, contestó:

–Porque era un crío, Meredith. No tenía información de primera mano sobre el plan, e incluso si la hubiera tenido, estamos hablando de traicionar a mi padre –él volvió a sacudir la cabeza, en un movimiento que reflejó el remordimiento que sentía–. Creí que mi deber era ser leal a mi familia, a mi padre.

De pronto, a Meredith se le ocurrió algo horrible.

–Nuestra relación... ¿tuvo algo que ver con ayudar a tu padre a apoderarse de nuestra empresa?

–Claro que no –contestó él, claramente ofendido por aquella idea.

Ella sintió una oleada de alivio, y el dolor de su estómago remitió un poco. Pero aquello no duró demasiado, porque él añadió:

–Nunca habría salido contigo para ayudar a mi padre a que consiguiera vuestro periódico; de hecho, cuando él sugirió que nuestra relación podría serle de ayuda, acabé con ella de inmediato.

Ella sintió como si la hubieran golpeado. ¿Había oído bien?

—Espera un momento. ¿Estás diciendo que te fuiste porque tu padre quería utilizarnos para conseguir el negocio de mi padre?

Evan asintió lentamente.

—Eso es exactamente lo que estoy diciendo.

CAPÍTULO 12

ERA la primera vez en su vida que Meredith se había planteado siquiera dejar un trabajo a medias. Su empleo de investigadora corporativa tenía muchas facetas, y aunque por lo general no era una espía o «agente de información sobre la competencia», en ocasiones había realizado ese tipo de tarea.

Mientras se sintiera cómoda con las razones de su investigación, y considerara que no vulneraba su ética y sus valores personales, era capaz de realizar un buen trabajo. Sin embargo, en esa ocasión las cosas se estaban volviendo un poco confusas.

Le había dicho a la persona que la había contratado que quizás tendría un conflicto de intereses, y la persona en cuestión había adivinado a la primera que la razón era su relación con Evan. A Meredith le resultaba difícil de explicar, ya que era algo que había sucedido hacía mucho tiempo.

¿Cómo podía confesar que acababa de enterarse de que él había tenido una vez la oportunidad de hacer algo muy parecido al trabajo que ella estaba realizando, pero que Evan había optado por no hacerlo?

Sonaba muy... poco profesional, así que había optado por explicar que nunca había realizado aquel tipo de trabajo en una compañía con la que estuviera relacionada, aunque la conexión fuera tan obsoleta y tangencial como la que tenía con los Hanson.

Meredith había afirmado que por esa razón le resultaba más difícil de lo previsto cumplir con sus obligaciones, sobre todo teniendo en cuenta que el resultado final sería la absorción de la compañía de Evan.

Para su sorpresa, le habían asegurado que no se estaba planeando ninguna acción hostil, sino que lo que se pretendía era conseguir una fusión; el objetivo era que dos compañías fuertes se unieran para que ambas ganaran en poder. Hanson Media no iba a perder nada en aquel trato, sino que iba a salir beneficiada.

Meredith suponía que aquello era bastante creíble; Hanson podía aceptar una oferta de asociación, en vez de someterse a una absorción hostil que no le concedería siquiera la opción de poder elegir.

–¿Estás preparada para acabar el trabajo que has empezado? –le había preguntado su superior.

Era la pregunta del millón de dólares. Meredith lo había pensado por unos segundos; su instinto le decía que le estaban diciendo la verdad, y en los últimos años su sexto sentido había sido bastante fiable.

–Sí –había dicho al fin–, lo estoy. Puedes confiar en mí.

Evan empezaba a tener dificultad para pensar con claridad. Estar en casa de los padres de Meredith la otra noche había resultado demasiado extraño. ¿Cuántas horas había pasado allí, disfrutando de la compañía de la chica que él había creído con una certeza absoluta que iba a ser su esposa?

Era raro volver y verla convertida en una mujer adulta, una mujer que se había ido alejando de él durante más de una década, pero rodeada del mismo ambiente. Le causaba una extraña sensación, una mezcla de inquietud y melancolía.

Por no hablar del deseo renovado que sentía hacia ella mientras la mujer encajaba en su nueva vida y en su mente. Era increíble cómo había manejado a Lenny Doss, y la forma en que se desenvolvía en el trabajo era asombrosa. Era una profesional perfecta, siempre conservadora, pero siempre acertada.

Era irónico que la cualidad que lo había sacado de sus casillas cuando salían juntos, su negativa a arriesgarse, fuera lo que más apreciaba de ella en ese momento.

Después de pasar la noche en la habitación de huéspedes, Evan se había levantado temprano, había escrito una nota de agradecimiento y había llamado a un taxi para que lo llevara de vuelta hasta su coche en Navy Pier.

Había pensado que sería mejor así, sin conversaciones embarazosas ni silencios incómodos de por medio.

Llevaba tres horas y media en la oficina, sin ver ni rastro de Meredith, cuando al fin decidió dar un paseo para buscarla disimuladamente.

Pero no estaba en relaciones públicas, y David le dijo que no la había visto en todo el día, así que se sintió perplejo cuando la encontró en un solitario ordenador del departamento de finanzas.

La observó durante unos minutos a distancia mientras ella tecleaba, entornaba los ojos, se inclinaba hacia delante y tomaba notas en un bloc.

¿Qué estaba haciendo?

Evan quería ver mejor lo que ella tenía entre manos,

así que se acercó un poco, pero intentó evitar que su presencia fuera obvia, para poder alegar que acababa de llegar si ella lo pillaba. Con mucho cuidado, se acercó tras ella e intentó ver lo que había en la pantalla del ordenador. Eran ingresos, créditos y balances generales; Meredith estaba estudiando el perfil económico de la compañía... ¿por qué?

Evan se alejó de nuevo sin que ella se diera cuenta de su presencia, y en el pasillo reflexionó sobre lo que iba a hacer. ¿Acaso era una especie de espía corporativa? No, aquello era demasiado absurdo, ¿cómo podía pensar algo así?

Meredith era una mujer de principios demasiado sólidos para ser deshonesta, y mucho menos para mentirle a alguien a la cara; si aquello fuera cierto, ella tendría que engañar a David, a Helen, a él mismo y a todas las personas con las que entrara en contacto en la oficina.

Era imposible.

Era mucho más probable que la siempre responsable y previsora Meredith estuviera comprobando las estadísticas de la empresa porque estuviera interesada en alguna inversión personal, no porque fuera a informar a alguna fuente secreta.

Si alguien tenía el valor suficiente para invertir en una compañía que había tocado fondo, esa era Meredith; sabría, como él, que Hanson Media iba a salir a flote de una forma o de otra.

Aquello concordaba mucho más con la personalidad de la mujer, y sin embargo... Evan no estaba seguro del todo, había algo que no acababa de encajar. Un inversor tendría muchas formas de comprobar el balance de gastos e ingresos, y la viabilidad de la compañía como una inversión potencial. Había libros, páginas web, carteras de inversiones, personas que se dedicaban a proporcionar aquel tipo de información.

Aun así, la idea de que Meredith estuviera recabando información sobre la compañía por algún oscuro propósito era muy poco probable. Tendría que estar pendiente del asunto; la mantendría cerca e intentaría descubrir lo que pasaba sin tener que preguntar.

Habían pasado varios días desde que Evan se había quedado a dormir en su casa, pero no habían hablado de ello.

Meredith se alegraba de ver que el corte estaba sanando con bastante rapidez; probablemente, él había tenido razón, y se había mostrado demasiado paranoica al sugerir que tenía que ir a urgencias de inmediato para coser la herida. Pero lo extraño era que Evan apenas le dirigía la palabra.

Después de contratar a Lenny Doss, él había conseguido llegar a acuerdos con tres locutores famosos más, pero a pesar de aquellos grandes avances, sus conversaciones con Meredith eran breves y directas al grano.

Ella no podía cuestionar las decisiones profesionales de él, de modo que Evan no tenía que preocuparse por eso; además, las nuevas incorporaciones no eran tan potencialmente problemáticas como Doss. Era cierto que la psicóloga radiofónica a la que había contratado tenía la reputación de ser muy conservadora, pero eso siempre aumentaba las audiencias, ya fuera por los oyentes que llamaban para discrepar con ella o por los que estaban de acuerdo con lo que decía.

Así que la sección de radio estaba tomando forma; a pesar de lo arriesgado que resultaba, el fichaje de Doss sería provechoso. Evan había creado de forma inteligente una mezcla interesante pero sólida de talento, ya que todos los nuevos fichajes eran locutores de éxito con unos resultados sólidos que los respaldaban.

No había duda de que aquello alentaría los planes de fusión de la persona que la había contratado.

—¿Qué tal va la nueva página web? —le preguntó a David por la tarde; era casi la hora de irse, y Meredith esperaba que el hombre no le diera demasiada importancia a la pregunta.

—De hecho, las cosas van muy bien —dijo David—. Todo va cuadrando, Hanson Media va a recuperarse.

—¿De veras?, ¿a qué se lo atribuyes?

David dudó un momento, y al fin contestó:

—Supongo que es por una combinación de varios factores; la familia ha intervenido y está trabajando muy duro para salvar la empresa, y creo que eso se nota en todas las secciones. Aún no estamos fuera de peligro, claro, pero vamos por el buen camino.

Meredith sonrió.

—¿Así que crees que la compañía puede sobrevivir por sus propios medios?

—¿Qué quieres decir? —dijo él, mirándola con atención.

Meredith sabía que se había precipitado al hablar, e intentó arreglarlo.

—Me refiero a que no habrá que pedir un préstamo.

—¿Te preocupa conservar tu empleo? —David la miró con los ojos entornados.

Ella se sintió aliviada de que el hombre lo hubiera interpretado así. Se encogió de hombros y dijo:

–Soy una mujer soltera que trabaja para pagar su casa y salir adelante –sonrió, y continuó–: y eso no es nada fácil. Apreciaría cualquier garantía que pudieras darme sobre la estabilidad de mi empleo.

No le gustaba nada mentir a David... la estabilidad de su puesto de trabajo era la menor de sus preocupaciones, pero necesitaba saber su opinión sobre la situación de la compañía. La palabra de David Hanson era oro en el mundillo de las comunicaciones, y Meredith tenía que informar a su jefe de aquellas nuevas noticias tan esperanzadoras. Sin embargo, las palabras de David la decepcionaron:

–No puedo garantizarte nada; este negocio es muy poco seguro, y los tiempos están cambiando con rapidez. Pero puedo decirte que la programación de Evan está generando mucho interés en el público; el muchacho tiene buena mano, como vaticinó Helen.

–Es un poco temerario –dijo Meredith, sintiéndose un poco culpable al decir algo potencialmente negativo sobre él.

–Yo diría que la palabra es «ambicioso» –dijo David con tacto–; ha estado trabajando contra una situación adversa y contra la oposición de muchos dentro de la empresa, pero ha formado una alineación que le gusta, y todo indica que la gente apuesta por él –se encogió de hombros, y añadió–: en estas circunstancias, ¿cómo podemos criticarlo?

–Esperemos que los resultados le den la razón –asintió Meredith; era una buena recomendación de Evan y de su trabajo, y ella sabía que David era un profesional demasiado serio para decir algo que no sentía solo para alabar a su sobrino–. ¿Así que las cosas van bien? –insistió, con cuidado de parecer interesada, pero no demasiado–; ¿no crees que la empresa vaya a hundirse del todo?

–Todo va bien –se limitó a contestar David, con tono confiado–. No te preocupes.

–Genial –dijo ella con una sonrisa–. Me alegra saber que tengo un empleo seguro a largo plazo.

–Puedes contar con ello –dijo David, mirándola directamente a los ojos.

Meredith ya sabía que tenía un puesto de trabajo asegurado; la cuestión era cuántas personas en Hanson Media podían decir lo mismo... no eran demasiadas.

Evan se percató de que ella hacía muchas preguntas; en aquel tipo de negocio, eso podía llegar a ser algo normal, pero se dio cuenta de que las cuestiones que Meredith planteaba parecían un poco alejadas de los límites de sus funciones.

Aunque no podía dedicar mucho tiempo a seguirla para ver lo que hacía, claro, ya que él tenía que hacer su propio trabajo.

Además, se había pasado la última década matando el tiempo durante el día hasta que llegara su turno de noche para ocuparse del bar; por eso, no tenía ni idea de cómo descubrir por qué alguien querría saber los índices de audiencia de los últimos tres años, cuando su principal preocupación debería ser asegurarse de que los *próximos* tres años tuvieran más éxito.

Y, de alguna manera, tenía que conseguir hacerlo junto a Meredith Waters, que podía distraerlo solo con respirar.

Nunca la había olvidado, y ni siquiera intentaba engañarse a sí mismo al respecto; pero lo más asombroso era lo mucho que se estaba volviendo a interesar en ella. No se trataba solo de la sombra del pasado: Meredith había crecido hasta convertirse en una mujer fascinante y excitante, con una extraña combinación de profesionalidad y sentido del humor absurdo.

Ella tenía un sinfín de facetas distintas, y Evan quería conocerlas todas. ¿Era solo por lo que habían compartido en el pasado?, ¿se debía la química que compartían a la relación apasionada que habían mantenido? Quizás lo que había visto una vez en ella era algo que aún necesitaba, algo que complementaba su alma con una intensidad que jamás desaparecería.

Evan le dio vueltas a la idea y se planteó cómo podrían estar juntos en ese momento, teóricamente hablando. Él no iba a quedarse allí demasiado tiempo, Chicago no tenía nada que ofrecerle. Solo Dios sabía adónde iría, pero era casi seguro que Meredith no querría ir con él. Ella tenía su vida y su trabajo allí, y algo que al parecer no había cambiado era la personalidad hogareña de la mujer.

De modo que, probablemente, no había nada más que decir; el pasado era el pasado, y Evan tendría que controlarse y dejar de fantasear con la chica que se le escapó de entre las manos. Había renunciado a ella, y ya no podía recuperarla.

Tanto Meredith como él debían mirar hacia el futuro... de Hanson Media, claro. Y nada más.

***

¿Por qué no podía dejar de pensar en él?

Meredith estaba sentada en su despacho, intentando hacer el análisis publicitario que David le había pedido, pero solo podía concentrarse en Evan, aunque él ni siquiera estaba por allí.

Bueno, estaba en algún lugar del edificio, pero apenas lo había visto, excepto una vez que se había encontrado con él por casualidad en la sala de las fotocopiadoras, y otra cuando ella volvía de comer. En ambas ocasiones, Evan se había mostrado cordial y amable, pero básicamente se había comportado como si fueran desconocidos. ¿Acaso estaba enfadado con ella?

La última vez que habían hablado, él había admitido conocer los planes de su padre para sabotear el periódico de la familia de Meredith, o al menos que había sospechado algo así; para ella, aquello era suficiente. Evan había tenido una idea de lo que iba a suceder, pero se lo había insinuado apenas, no la había avisado abiertamente.

Debería sentirse furiosa con él, pero no era así; todo aquello ya era agua pasada, y a pesar de que él era culpable de no revelar lo que sabía, George Hanson había querido utilizarlo en sus planes y, de hecho, tras alertarla de aquella forma demasiado sutil, Evan se había marchado del país. Así que ni siquiera el mayor de los cínicos podría acusarlo de ser parte activa en la conspiración.

De modo que Meredith no estaba enfadada, no con él ni por aquella razón; ya no. En vez de eso, esperaba verlo cada vez que oía pasos en el pasillo, y cuando entraba alguien se apresuraba a levantar la cabeza, con la esperanza de que fuera él; sin embargo, cuando descubría que no era así, se sentía decepcionada. ¿Qué le estaba pasando?

Finalmente, cuando eran ya casi las cinco de la tarde y estaba a punto de ir a verlo para preguntarle si la estaba evitando, Evan asomó la cabeza por la puerta de su despacho.

–¿Tienes un minuto?

Debería haberse mostrado fría y profesional, pero se sintió tan contenta de verlo, que no pudo evitar la entusiasta sonrisa que apareció en sus labios.

–Claro.

Él entró y dijo:

–Me gustaría que saliéramos a comer, hay algo... –dudó un momento, y continuó–: hay algo de lo que quiero hablar contigo.

Meredith frunció el ceño.

–Parece serio –comentó.

–No es nada grave, pero he pensado que estaría bien salir de la oficina; no estoy acostumbrado a estar atrapado bajo iluminación artificial todo el tiempo.

–Supongo que no puede compararse con el sol mediterráneo –la voz de Meredith tenía un ligero matiz cortante, pero esperó que Evan no se diera cuenta.

La rápida mirada del hombre reveló que lo había notado; Evan comentó:

–Deberías probarlo alguna vez.

–Quizás lo haga.

Él enarcó una ceja.

–¿En serio?

–¿Por qué pareces tan sorprendido?

–No lo estoy, es solo que... antes nunca mostraste demasiado interés en viajar.

–Nunca he tenido el tiempo para hacerlo –contestó ella, encogiéndose de hombros–; primero el colegio, después el trabajo, y ahora es como una costumbre patológica. Creo que es tiempo de romper con ella.

Evan esbozó aquella sonrisa que siempre hacía que el corazón de Meredith diera un vuelco.

–Muy bien, entonces empezarás esta misma noche; iremos a un pequeño restaurante griego que conozco en las afueras.

Ella estaba dispuesta a ir mucho más lejos; en ese momento, se habría subido a un avión en dirección a Grecia sin más equipaje que el bañador y la crema bronceadora.

La imagen era tan impropia de ella que resultaba casi risible, pero de pronto, de forma totalmente inesperada, Meredith se sintió hambrienta de algo nuevo, de algo que Chicago no le ofrecía. Quizás esa noche consiguiera al menos catarlo un poco.

–¿Me cambio de ropa? –preguntó; su invitación la hacía sentir como una adolescente.

Evan la miró de arriba abajo, y la piel de la mujer cosquilleó como si la hubiera tocado.

–No, estás bien –dijo él.

De acuerdo. No era un gran piropo, pero con eso bastaba, sobre todo teniendo en cuenta la forma en que él la estaba mirando.

–Vale –Meredith apagó el ordenador y tomó su bolso–; estoy lista, cuando quieras.

Bajaron hasta el garaje en el ascensor, y se dirigieron hacia el coche de Evan; cuando él fue a abrirle la puerta, Meredith comentó:

–Hace mucho tiempo que nadie me abría una puerta.

–La caballerosidad ha muerto, ¿verdad?

–Sí, o eso, o se ha quedado dormida –entró en el coche y se acomodó en el asiento de cuero–, completamente dormida.

–¿Sales con hombres muy a menudo? –preguntó Evan mientras arrancaba.

–¿Que si salgo con hombres muy a menudo? –repitió ella, muy sorprendida por la pregunta.

Él asintió, con la mirada fija en la carretera.

–A lo mejor es una pregunta poco apropiada.

–Bueno, no sé si lo es –tras pensar en ello durante unos segundos, Meredith dijo–: y tú, ¿sales con mujeres muy a menudo?

Él lanzó una carcajada y la miró de soslayo.

–Déjalo, esa es una pregunta difícil de contestar –dijo.

–¿Porque han sido muchas? –no pudo evitar preguntarlo.

–En absoluto.

Ella no estaba segura de si lo creía o no; tras unos segundos, él dijo:

–Deja que vuelva a intentarlo. ¿Has estado casada?, ¿prometida?

–Estuve prometida una vez –dijo Meredith, aunque por alguna razón, parte de ella no quería confesárselo. Era muy extraño hablar de aquello con Evan–. Pero no funcionó.

–¿Por qué no?

Ella miró por la ventana y rio sin ganas.

–Él no tenía ambición, ni planes sólidos para el futuro. Temí que no fuera... fiable.

El instante que pasó antes de que Evan respondiera fue tan tenso, que Meredith no tuvo ninguna duda de que él entendía perfectamente la ironía de aquella relación fallida.

—Quizás esperabas demasiado de él.

—Ciertas expectativas son tan básicas, que considerar que son «demasiado» es absurdo —ella mantuvo la mirada fija en la carretera, viendo cómo las líneas sobre el asfalto desaparecían bajo el coche. Pero en su interior, Meredith pensaba: «por favor, dame una explicación convincente para lo que hiciste, haz que lo entienda».

—A veces, las personas tienen buenas razones para no poder cumplir las expectativas más básicas —dijo Evan—. A veces, las cosas no son como uno cree.

—Solo sé lo que veo —respondió ella; deseaba que fuera suficiente creerlo, pero sabía que necesitaba algo más, algo concreto—. Es difícil especular con la teoría, cuando los hechos te están golpeando de lleno en la cara.

Él respiró hondo y contestó:

—Sí, si realmente son los hechos; en nuestro caso, yo solo... —sacudió la cabeza, sin palabras—; no importa, no estamos hablando de nuestra relación.

Meredith tenía que recordar aquello de inmediato.

—Claro que no, ya hace mucho tiempo de eso, no tiene nada que ver con el presente.

—Exacto.

—A pesar de lo defensivo que te pones a veces, al hablar del pasado —no pudo evitar aguijonearlo un poco.

Durante más de un kilómetro, Evan condujo en silencio; finalmente, dijo:

—Mira, Meredith, lo siento. Estábamos hablando de tu prometido, y yo he convertido la conversación en mi defensa post mórtem. No ha sido algo apropiado, y me disculpo por ello. Solo estaba... recordando.

–Yo también recuerdo a veces, Evan –«por favor, haz que lo entienda, que sea comprensible».

Tras entrar en un aparcamiento bastante destartalado y aparcar, él se volvió hacia ella y dijo:

–¿De verdad?

–No estoy senil –Meredith esbozó una sonrisa.

–¿Te arrepientes de algo?

–No –contestó ella con firmeza.

Sus ojos se encontraron, y Evan se acercó a ella lentamente. Meredith permaneció inmóvil en su asiento, sin retroceder, aunque su mente le gritaba que saliera corriendo. «De acuerdo, no hace falta que consigas que te crea, solo bésame y hazme olvidar».

Los labios masculinos rozaron su boca, insinuando su capacidad para saciar un deseo ignorado durante demasiado tiempo. Por un segundo el mundo se detuvo, y entonces la boca de Evan volvió a descender, con un fervor aún mayor. Los labios del hombre se movían con voracidad, casi con urgencia, arrastrándola con la fuerza de su pasión. Sus lenguas se tocaron, y el sabor de él inundó con una oleada de recuerdos el cuerpo femenino.

Meredith subió las manos por la espalda de él y las entrelazó alrededor de su cuello, mientras sus brazos descansaban sobre aquellos anchos hombros. Él la acercó aún más, acariciando su cuerpo y explorando su boca apasionadamente. El sonido de sus respiraciones entremezcladas se hacía más fuerte conforme su ardor se intensificaba.

Cuando Evan acarició la base de su espalda, Meredith se arqueó hacia él y golpeó la dura consola que había entre ellos, pero no le importó. El placer era cien veces mayor que el dolor. Los dedos de Evan se introdujeron ligeramente por debajo de su ropa interior, y la explosión de excitación hizo que Meredith arqueara la espalda y jadeara contra la boca de él.

—Te deseo —susurró él.

—Yo también —contestó ella, haciendo caso omiso de la voz de su conciencia, que seguía insistiendo en que aquello era un error.

Los besos de Evan se profundizaron, y Meredith sintió unas palpitaciones en la boca del estómago, que se extendieron hacia su mismo centro. Era un dolor que solo él podía calmar, y ella estaba medio dispuesta a permitir que lo hiciera allí mismo, en ese mismo momento.

Evan introdujo las manos bajo su camisa, las deslizó por la piel desnuda de su espalda y volvió a moverlas hacia abajo; Meredith contuvo el aliento. Lo deseaba... ¡oh, cómo lo deseaba! Y se lo había dicho claramente.

Horrorizada, de pronto se dio cuenta de la locura que estaba cometiendo; se echó hacia atrás, y estuvo a punto de golpearse con la ventanilla.

—No podemos hacer esto —jadeó.

—Sí que podemos —él volvió a tomarla en sus brazos y la besó.

Ella se sometió por un lánguido momento, pero volvió a separarse.

—No, no podemos, no quiero.

—No te creo.

—Tienes que hacerlo —Meredith tomó aire con dificultad, en un gesto que la desmintió.

—Tengo que respetar el «no» —dijo él–, pero no tengo por qué creer que seas sincera. Incluso si no te conociera, Meredith, lo que acabamos de compartir habla por sí mismo. Tu cuerpo me dice todo lo que no quieres admitir.

—Eso —hizo un gesto vago con la mano—, lo que ha pasado, ha sido... algo sin importancia; curiosidad, nada más —tragó saliva, y añadió—: ahora que nos hemos desahogado, no debe volver a suceder.

—No nos hemos desahogado, ni mucho menos —dijo Evan—. De hecho, desde que volví a verte, cada vez pienso más en ti. Es casi como...

—No lo digas —Meredith levantó una mano; no quería oír que era como en los viejos tiempos, o como si nada hubiera cambiado o, peor aún, como si acabaran de conocerse—. No lo digas. No hay manera de que acabes esa frase sin parecer el personaje de un melodrama barato.

—Gracias —rio Evan.

—Sabes lo que quiero decir, ¿verdad? —dijo ella mientras sentía que se sonrojaba.

—Quizás. Lo que no sé es por qué estás tan decidida a ignorar lo que te dice el corazón.

—¿Quién dice que mi corazón tenga nada que ver en esto?

—Vale, tu cuerpo —él sonrió con descaro—; te lo acepto.

«No vas a aceptar nada, porque no pienso volver a ofrecértelo», pensó Meredith, y contestó:

—Ni hablar, no vamos a conseguir nada al meternos en algo que ambos sabemos que no va a funcionar.

—Eso no lo sabes.

—Sí que lo sé. Evan, me dejaste una vez sin decir ni una palabra; no fui suficiente para ti entonces, y no hay razón para pensar que esta vez sería diferente.

Él se enderezó y miró hacia delante.

–No te dejé porque no fueras suficiente para mí; no tuvo nada que ver con eso.

–Entonces, ¿por qué fue?

Él la miró, con el rostro ensombrecido por el crepúsculo, y finalmente contestó:

–Fue algo complicado.

–¿Demasiado complicado para explicármelo?

–¿Para qué?

–No lo sé –Meredith no quería admitir que deseaba encontrar cierta paz interior al saberlo, sonaba demasiado patético–. Quizás no haya ninguna razón específica.

Por unos segundos se quedaron mirándose a los ojos, y Meredith sintió que varios escalofríos recorrían su espalda. Evan parecía querer besarla de nuevo. Para ser exactos, ella quería besarlo de nuevo, quería estar en sus brazos otra vez, quería sentir la aspereza de su barba incipiente contra su propia mejilla. El deseo pulsaba entre ellos.

Evan se movió hacia ella, y Meredith se inclinó hacia él ligeramente, hasta que solo los separaba el más mínimo espacio. De repente, sonó su móvil, y la mujer dio un respingo de sorpresa; ¿quién querría llamarla a aquella hora? Su primer pensamiento fue que se trataba de una emergencia, algo relacionado con su madre.

–Perdona –le dijo, mientras se apresuraba a buscar en su bolso–; tengo que contestar, podría ser mi madre.

Meredith contestó, y la voz al otro lado de la línea dijo:

–Perdona por llamar tan tarde, pero dentro de poco salgo para Japón y debo saber si has terminado de reunir la información sobre Hanson Media.

CAPÍTULO **13**

MEREDITH se puso el teléfono en la otra oreja y bajó disimuladamente el volumen de voz del móvil.

—No tengo la información conmigo, pero puedo ir a casa a buscarla si la necesitas.

—¿No estás sola?

—Eh... no.

—Necesito hablar contigo; ¿puedes llamarme en cuanto puedas, en privado?

Aunque no quería hacerlo, Meredith sabía que no tenía elección, y contestó:

—Está todo en casa, mamá —no le gustaba nada tener que rebajarse a fingir que era su madre, pero continuó—: ¿no puedes esperar hasta mañana?

—Lo siento, pero tiene que ser ahora.

—De acuerdo, te llamaré dentro de... —echó una ojeada a su reloj, y dijo—: unos cuarenta y cinco minutos. ¿Te parece bien?

—De acuerdo, pero cuanto antes, mejor. Intenta apresurarte, Meredith, ¿vale?

—Perfecto —miró a Evan con expresión exasperada mientras cerraba el teléfono y volvía a meterlo en su bolso—. Lo siento, tengo que ir a mi casa a buscar unos documentos para mi madre; es algo relacionado con su nueva casa, tiene que demostrar que vendió los activos.

–Te llevaré –dijo Evan.

A Meredith no le gustó la idea; con todo lo que ella estaba haciendo, no quería que además él sintiera que tenía que cancelar sus planes por su culpa.

–No, sé que tenías muchas ganas de comer aquí, tomaré un taxi hasta la oficina y desde allí conduciré hasta casa, no pasa nada; incluso iría andando si tuviera tiempo.

–Meredith, no voy a permitir que vayas en taxi solo para poder comer *souvlaki*. Yo te llevaré.

–No tienes que...

–No seas tonta –la interrumpió él, mientras arrancaba el coche–; no es nada del otro mundo.

–Bueno, pues gracias.

–¿Está bien tu madre? –preguntó al salir del aparcamiento.

–¿Qué? Oh, sí, perfectamente bien, es solo que... –se tuvo que decir a sí misma que estaba hablando realmente de su madre, que era un asunto personal rutinario que no tenía nada que ver con Evan o con la familia Hanson–; siempre necesita algún documento de la casa, se dejó un montón de cosas aquí –al menos, aquello era cierto.

–Tu madre tiene mucha suerte de tenerte –comentó Evan mientras conducía–; después de perder a tu padre, debió de sentirse muy perdida.

–Sí, así fue –asintió ella.

–Recuerdo lo unidos que estaban –continuó él, sonriendo más para sí mismo que para Meredith–; a la hora de la cena eran peor que unos adolescentes, riendo y acabando el uno las frases del otro.

Ella sonrió, recordando aquellos momentos, y empezó a decir:

–Siempre pensé que esa era la definición...

–... del amor verdadero –asintió Evan.

No pareció darse cuenta de que él mismo había acabado la frase de Meredith, pero ella sí lo advirtió. Él continuó diciendo:

–Cuando dos personas se conocen tan bien, y están de acuerdo de forma tan absoluta, que pueden acabar las frases del otro, se demuestra la comodidad que existe entre ellos; la verdad es que es algo envidiable.

–Sí –dijo ella mientras lo observaba en la oscuridad; solo las farolas que iban dejando atrás lo iluminaban momentáneamente–. Creo que tienes razón.

–Es probable que tenga mucho que ver con la mujer en que te has convertido.

–¿Qué quieres decir?

–Siempre te has sentido segura de ti misma, Meredith; hay quien diría que eres incluso un poco terca... –Evan le dirigió una breve sonrisa, y continuó–: pero está claro que sabes muy bien quién eres y en lo que crees. Pienso que eso se debe a que creciste en un hogar donde todo el mundo era amado y aceptado tal y como era.

–¿Al contrario que tú? –preguntó ella, sin pensar.

–Desde luego –contestó él sin un instante de duda–; antes de empezar a hablar, ya sabía que tenía que tener cuidado con lo que decía delante de mi padre. Seguramente, lo mucho que mi madre tuvo que esforzarse en mantenernos callados y obedientes por él tuvo mucho que ver con su enfermedad.

«Y con su muerte», pensó Meredith, aunque no lo dijo; no tenía que hacerlo, sabía que ambos lo tenían en la mente.

–Debes de tener algún recuerdo agradable de tu familia –sugirió–; no eras un chico desdichado.

–Cuando estaba contigo, no –Evan mantuvo los ojos en la carretera y las manos en el volante–; quizás lo que recibiste en tu educación se filtraba hacia mí cuando estábamos juntos. En aquel entonces, solo me sentía bien cuando estaba a tu lado.

Aquello la conmovió, aunque encendió todas las señales de alarma dentro de ella.

–Es obvio que yo no significaba tanto para ti –dijo–; no te resultó demasiado difícil abandonarme.

Él se detuvo en un semáforo y la miró; la luz roja iluminaba su mejilla izquierda, creando sombras que hacían que pareciera mayor.

–Eso no es verdad –dijo.

De nuevo, Meredith deseó que él se explicara, aunque en el fondo no quería que lo hiciera.

–¿No? Entonces, ¿cómo fue? Evan, jamás volviste la vista atrás; no llamaste ni enviaste ninguna carta, ni siquiera mandaste un mensaje en una botella.

–Era mejor para ti si no volvías a saber de mí.

–¿Mejor para mí? –dijo ella con tono burlón–; ¿a quién crees que estás engañando?

–Es cierto –insistió él; el claxon del coche de detrás hizo que Evan se diera cuenta de que el semáforo estaba en verde, y retomó la marcha mientras decía–: tendrás que creer en mi palabra.

–Evan, somos adultos, y todo esto sucedió hace más de una década; me gustaría saber lo que pasó. El rollo enigmático de «era lo mejor para ti» no me sirve, así que me cuentas la verdad, o no volvemos a hablar del pasado.

–Tienes razón, no deberíamos volver a hablar de ello.

–Limítate a decirme *la verdad* –suspiró Meredith.

–De acuerdo –cedió él–. Es muy simple: mi padre quería utilizar nuestra relación para perjudicar al tuyo; quería que yo recabara información sobre los redactores de vuestro periódico, sobre las historias en las que trabajaban. Quería que lo ayudara a encontrar la mejor forma de infiltrarse en la empresa y manipular los datos para que se cuestionara la credibilidad de tu padre.

Meredith sintió que palidecía y preguntó:

–¿Quería que espiaras para él?

–En resumen, sí. Aunque esa es una palabra un poco exagerada –dejó escapar un largo suspiro–; de cualquier forma, el resultado habría sido el mismo: yo te habría utilizado, o lo habría parecido.

El siguiente semáforo que encontraron se puso en ámbar, y Evan redujo la velocidad de nuevo.

–¿Por qué no me lo contaste?

Evan la miró.

–Porque tenía dieciocho años, y no sabía cómo traicionar a mi padre.

–Pero pudiste traicionarme a mí.

–No te traicioné, me fui del país; me alejé de la situación, para no tener que herir a nadie.

Para ella, aquello había sido una traición de primer orden; él le había hecho mucho daño, y aún no parecía darse cuenta.

–Fue condenadamente fácil para ti –dijo; no le gustó nada el matiz de amargura en su propia voz, pero fue incapaz de suavizarlo.

Él negó con la cabeza y exclamó:

–¡Fue lo más difícil que he hecho en toda mi vida!

–¿Pero...?

La mirada del hombre se centró completamente en ella.

—Pero lo hice. Era lo mejor para todo el mundo.

Aquello no iba a solucionar nada, y Meredith sabía que debería haber controlado el impulso de hablar con él sobre el tema; hacía que volviera a sentirse como una adolescente enfadada y confundida, y hasta que Evan había vuelto a aparecer en su vida, ella había conseguido dejar el pasado muy atrás. No quería volver a ser aquella muchacha.

—De acuerdo, de acuerdo, me rindo –dijo, aliviada al ver que se acercaban a la entrada del garaje del edificio donde trabajaban–. Esta conversación no nos conduce a nada.

—Estoy de acuerdo.

—Así que vamos a dejarla.

—Dala por terminada –asintió él.

Entraron en el garaje gris en completo silencio; la débil iluminación de los fluorescentes eran el complemento perfecto para el descontento de Meredith.

—Ya puedes parar –ella señaló su pequeño coche azul, y dijo–: es ese de ahí.

—Sí, lo recuerdo –Evan detuvo el coche detrás del de ella y se volvió hacia la mujer–. Bueno, ya estamos aquí.

—Gracias –Meredith empezó a salir del coche, pero se detuvo y se giró hacia él–. Siento haber tenido que cancelar la cena, espero que no estés hambriento.

—Sobreviviré –contestó él, y sonrió–; iré a comprar una hamburguesa a algún sitio.

—Buenas noches, Evan –dijo ella.

Él la miró con calma; su expresión era inescrutable.

—Buenas noches –contestó.

Meredith bajó del coche, y sintió la mirada del hombre sobre ella mientras desbloqueaba las puertas de su vehículo, entraba y encendía el motor. Evan movió su coche, y ella lo siguió hasta que salieron del garaje; él giró hacia la izquierda, y se fue en la dirección opuesta.

De pronto, Meredith recordó que él no tardaría en regresar a aquel mismo edificio, para pasar la noche en su despacho; era un sitio muy agradable, claro, un alojamiento de lujo bajo cualquier punto de vista, pero la entristecía saber que él dormía allí porque no planeaba quedarse demasiado tiempo en Chicago. Iba a marcharse de nuevo.

En cuanto las luces traseras del coche de Evan desaparecieron de su vista, Meredith apagó el motor y se cubrió la cabeza con las manos; aquello era mucho más duro de lo que había imaginado. Sus nervios no eran tan resistentes como solían ser... y, al parecer, tampoco lo era su fuerza de voluntad.

Era una auténtica tonta por seguir albergando aquellos sentimientos hacia Evan Hanson; por el amor de Dios, él se había ido, la había abandonado. Le había hecho promesas que estaba claro que no pensaba cumplir, y cuando había tenido que elegir entre mantenerse firme y enfrentarse a su padre, o salir corriendo, él había optado por la segunda opción.

Meredith tenía claro que el pasado había quedado atrás, y que en ese momento las circunstancias eran diferentes, pero Evan siempre había sido bastante rebelde; era como si fuera incapaz de acatar las normas. Ella se había dado cuenta en el instituto, y más tarde, cuando él había incumplido sus promesas de compromiso. Los hombres... no, las personas así no cambiaban.

Y si estar junto a Evan iba a provocar aquellas ansias en ella, tendría que evitar verlo, por muy difícil que fuera.

Meredith condujo hasta su casa en silencio; no se atrevió a encender la radio, por temor a escuchar alguna vieja canción romántica que la hiciera sentirse aún más melancólica. ¿Qué le pasaba?, ¿por qué volvía a sentirse de repente tan atraída hacia Evan Hanson?

Además, no quería al chico de años atrás, sino al hombre que era en ese momento; por lo tanto, estaba claro que el principal obstáculo era el antiguo Evan. No podía confiar en el hombre que era por lo que le había hecho en el pasado, y parecía que nunca iba a poder conseguir cerrar de forma satisfactoria aquel capítulo de su vida.

Y, la verdad, se sentía como una tonta por intentarlo siquiera.

Meredith llegó a su casa y entró; de inmediato se sintió incómoda con lo vacía que parecía, por la forma en que resonaba el eco de sus pasos. En el pasado había avanzado de puntillas, sigilosamente, por aquel mismo suelo en medio de la noche, intentando evitar las tablas que crujían más para no despertar a sus padres.

Sin embargo, en ese momento podía saltar y cantar a gritos el himno nacional si quería, y no aparecería nadie. Se sentía muy sola, y no lo había notado hasta la llegada de Evan; odiaba lo mucho que le gustaba estar con él, pero odiaba aún más lo sola que se sentía cada vez que él se marchaba.

Estaba impaciente por acabar aquel trabajo, para poder seguir con su vida; el hecho de que él estuviera durmiendo en la oficina porque iba a marcharse pronto, debería hacer que ella se sintiera mejor.

Meredith tomó una llave y fue al cuarto de atrás de

la casa, donde había guardado sus archivos confidenciales del trabajo; tras encontrar lo que buscaba, llevó las carpetas a la cocina y desplegó los documentos sobre el mostrador. Entonces descolgó el teléfono y marcó el número.

–Estoy en casa –dijo cuando descolgaron al otro lado de la línea–; y tengo la información que necesitas. ¿Podemos empezar?

CAPÍTULO 14

EVAN sabía que no debería volver a la casa de Meredith; mientras daba la vuelta y cruzaba la ciudad hacia allí, sabía que era un error. Lo que habían compartido pertenecía al pasado, y teniendo en cuenta que no podían hablar de ello sin ponerse a discutir, tendría que seguir siendo así.

Pero se sentía atraído hacia ella; no de la forma en que el adolescente se había sentido atraído hacia la descarada animadora, sino como un hombre hacia una mujer. Ella era la personificación de todo lo que había deseado en una mujer de ensueño, y no había podido encontrar. El único problema era que compartían un pasado común.

Y por eso era tan absurdo volver sobre sus propios pasos en ese momento, aparcar delante de la misma casa en la que ella había vivido con sus padres, caminar por el mismo camino, sobre las mismas grietas que llevaban años allí, acercarse a la misma puerta que se abriría para revelar a la chica de sus sueños.

De alguna forma, tenía que convencerla de que eso era ella para él.

Evan la vio a través de la ventana cuando aún no había llegado a la puerta; estaba en la cocina, sentada en un taburete con el teléfono en la oreja, estudiando detenidamente lo que parecían ser unos mapas esparcidos sobre el mostrador.

Retrocedió un paso y la observó durante un momento; recordaba el gesto con el que acababa de apartarse el pelo castaño de la cara, y la forma en que la parte delantera de su cabello se curvaba porque siempre estaba echándoselo hacia atrás o colocándoselo detrás de la oreja. Cuando ella rio y echó la cabeza hacia atrás, Evan sonrió. Era tan hermosa...

No sabía cuánto tiempo permaneció allí de pie, o lo que esperaba conseguir con ello; quizás quería convencerse a sí mismo de que no debía acercarse a la puerta. Cuanto más la miraba, más cerca de ella quería estar.

Meredith deslizó un bolígrafo por una de las hojas de papel, y dijo algo al teléfono con expresión muy seria. En cierto momento se detuvo, frunció el ceño y miró en otra pila de documentos hasta que sacó con gesto triunfal lo que fuera que estuviera buscando.

Él la había visto así en la biblioteca del instituto, y en las oficinas de Hanson Media. Meredith disfrutaba de un trabajo bien hecho, ya fuera una redacción, un informe, o encontrar un número de teléfono que alguien le hubiera pedido. A él, aquella capacidad de concentración le parecía adorable.

Cuando ella colgó el teléfono y empezó a recoger los papeles, Evan no se dio tiempo de pensarlo dos veces; fue hasta la puerta y llamó. Permaneció allí varios segundos, preguntándose si ella habría oído el timbre y si aún tenía tiempo de volverse y marcharse, como si no hubiera estado allí.

Casi se había convencido de hacerlo, cuando Meredith abrió la puerta.

–¡Evan!

Mil cosas pasaron por la mente del hombre en aquel momento; un millón de explicaciones, mil millones de disculpas. Pero todo se resumía en algo muy simple.

–Fui un idiota.

–¿Qué? –preguntó ella con expresión confundida.

Él caminó hacia ella, y Meredith abrió aún más la puerta y dio un paso atrás, dejándolo entrar.

–No tenía ni idea de a lo que estaba renunciando cuando me fui.

–Evan, ¿has estado bebiendo?

Él rio y contestó:

–Ni una sola gota; de hecho, estoy más sobrio que en años.

Meredith cerró la puerta y permaneció en su sitio, aunque él dio otro paso hacia ella.

Evan bajó la mirada hacia su hermoso rostro, y deseó poder borrar cualquier línea de preocupación que su familia o él hubieran causado. Aunque lo cierto era que le gustaban las suaves líneas de expresión de la mujer, la nueva madurez que revelaban. Le gustaba todo lo concerniente a ella.

–No sabía cómo traicionar a mi padre, y la única opción que se me ocurrió para no traicionarte a ti fue marcharme, salir por completo de la ecuación. Pensé que estarías mejor sin mí, y creí de verdad que... –suspiró, y continuó–: creí que te olvidarías totalmente de mí, y que no te importaría.

Ella tragó con dificultad.

–Nunca logré olvidar –dijo.

Él negó con la cabeza y admitió:

–Yo tampoco, y ese fue el peor error de juicio que cometí; pensé que algún día yo también conseguiría olvidar. Todo lo que la gente dice sobre el amor adolescente... que es pasajero, que lo recuerdas después con una sonrisa y cierta vergüenza, pero sin dolor, que nunca dura. Todo eso es mentira.

Los ojos de Meredith brillaban con lágrimas contenidas.

—No deberíamos hablar de esto —dijo.

—Lo sé, pero *no* hablar tampoco nos está funcionando.

—Eso es verdad —Meredith sorbió las lágrimas.

—Mira, mándame a paseo si quieres —Evan soltó una carcajada seca y sacudió la cabeza—, no podría culparte si lo hicieras. Pero al menos quiero que sepas que, cualesquiera que fueran mis estúpidas y equivocadas razones para marcharme, nunca, ni por un solo segundo, dejé de amarte.

Él oyó cómo Meredith contenía el aliento; entonces, la mujer preguntó:

—Entonces, ¿por qué te quedaste lejos de aquí? ¿Por qué no volviste cuando te diste cuenta de tus sentimientos?, ¿por qué no te pusiste en contacto conmigo de alguna manera?

—Porque lo único que sabía era cómo me sentía, y que te había fallado. No creía que quisieras volver a hablar conmigo.

Ella negó con la cabeza, pero él continuó:

—Y, la verdad, me imaginé con demasiada facilidad que habrías seguido adelante con tu vida y que te habrías olvidado de nuestra relación.

—No tenías demasiada fe en mí.

—No —dijo él con firmeza—; era en mí en quien no tenía demasiada fe. Y, además, no me merecía que me perdonaras.

Permanecieron mirándose en silencio por un largo y estremecedor momento; finalmente, Meredith dijo:

—No, no te lo merecías.

Él aceptó aquella respuesta, no tenía otra opción.

—Tienes razón; solo quería que supieras la verdad —dijo, y empezó a moverse para marcharse.

—¿Por qué? —preguntó Meredith tras él.

Evan se detuvo y se volvió para mirarla de frente.

—¿Qué?

—¿Por qué no querías contarme la verdad?, ¿por qué ahora, después de todo este tiempo? De hecho, ¿por qué después de negarte a hablar de ello hace un rato?

—Porque aunque nos gustaría ser personas maduras, impermeables a este tipo de cosas, ha sido el gran obstáculo desde que empezamos a trabajar juntos. Estaba empezando a afectar a todas mis acciones y mis pensamientos.

—Así que necesitabas desahogarte —lo desafió ella—, para aliviar tu conciencia.

—Mer, mi conciencia quedaría aliviada si existiera una causa noble para explicar mi huida —dijo él con gravedad—. Pero no la hay. He querido explicarte esto porque merecías saberlo, porque es la verdad. Te quiero, Meredith, siempre te he querido. Y que Dios me ayude, porque creo que siempre te querré —sonrió débilmente, y añadió—: no voy a decir nada más al respecto, así que no te preocupes. Buenas noches, Meredith.

Él se volvió para marcharse, y había caminado dos pasos hacia la puerta cuando ella dijo:

—Espera, Evan. No te vayas.

***

Debería haber dejado que se fuera, pero no pudo hacerlo.

Meredith corrió hacia él, y todo pareció suceder a cámara lenta. Él se volvió hacia ella, ella se lanzó a sus brazos y se besaron; fue un beso largo y profundo, que expresaba toda la pasión insatisfecha que habían sentido durante todo aquel tiempo, pero que no habían podido compartir.

Sin decir palabra, ella lo tomó de la mano y lo llevó hacia la planta superior de la casa; él no preguntó nada, no había necesidad. Cuando llegaron a la puerta de la habitación de Meredith, volvieron a besarse.

–No es la misma que tenías antes –murmuró él.

–Eso sería demasiado raro, ¿no crees?

Meredith sonrió, y sus labios volvieron a encontrarse. Evan subió las manos por la espalda de la mujer en un movimiento provocadoramente lento, moviendo los dedos de forma tan delicada que ella se arqueó contra él cuando le hizo cosquillas. En ese momento, él aprovechó para desabrocharle el sujetador con un rápido movimiento de la mano.

Meredith recordaba ese gesto.

La tela de la prenda se aflojó y Evan apretó las manos contra su espalda, apretándola aún más contra él. Ella aceptó el firme contacto, impaciente; si hubiera podido, se habría introducido hasta el alma del hombre.

Se besaron prolongadamente, durante unos diez o quince minutos, sin ninguna prisa; ambos tenían claro adónde iba a conducirles aquella situación. Justo cuando Meredith sentía que iba a derretirse allí mismo, él susurró:

—Vamos a la cama.

Ella no protestó. Cruzaron la habitación y cayeron juntos sobre el colchón, besándose de nuevo con una urgencia cada vez mayor. Con un tirón, Evan abrió la camisa de la mujer; los botones salieron despedidos, y cayeron al suelo como monedas. A ella no le importó; cuanto antes la tocara, cuanto más la tocara, mucho mejor.

Él deslizó una mano desde su caja torácica hasta sus pechos; su tacto era cálido contra la piel femenina. Acarició un pezón, tocándola como si fuera un instrumento musical, hasta que la respiración de Meredith se volvió jadeante; el corazón de ella palpitaba con furia, implorando satisfacción.

Ella acunó el rostro masculino en sus manos y lo besó apasionadamente; tras unos minutos, bajó las manos por el pecho y el estómago plano del hombre, hasta llegar a la hebilla de sus pantalones. Ella tampoco había olvidado cómo moverse; introdujo una mano en el interior de la prenda y la desabrochó mientras Evan gemía contra su boca.

—Si vas a parar esto, será mejor que lo hagas... hace unos cinco minutos —dijo él.

—No estoy segura... —Meredith sonrió y volvió a besarlo, disfrutando de aquel juego.

Al parecer, a él también le gustaba; Evan deslizó una mano bajo la ropa interior de ella y la ahuecó sobre su feminidad. Tras introducir un dedo en su cuerpo, preguntó:

—¿No?

–Supongo que podríamos seguir –jadeó ella, y alargó una mano para tomar su miembro; la fascinaba el poder del deseo masculino, que a su vez avivaba el suyo propio hasta enloquecerla, pero intentó aparentar tranquilidad cuando añadió–: ¿a menos que tú quieras parar...?

–Juegas sucio.

–No parece importarte –movió la mano mientras lo miraba a los ojos–; ¿te importa?

Finalmente, Evan perdió el control al que había conseguido aferrarse hasta el momento. La tumbó sobre su espalda y le quitó los pantalones, mientras bañaba con la calidez de su aliento los muslos de la mujer. Meredith se recordó a sí misma que aquel era Evan, el amor de su vida, y que por fin, *por fin,* iba a sentirlo de nuevo dentro de su cuerpo.

Había esperado aquel momento mucho tiempo, a pesar de que había intentado convencerse de que no lo quería. Todos sus pensamientos se evaporaron cuando Evan la llevó a nuevas cumbres de placer.

–Eres increíble –suspiró.

–Aún no has visto nada –contestó él con una sonrisa de pirata.

Él se movió por el cuerpo femenino, y Meredith no pudo esperar más. Bajó con los pies los pantalones de Evan y lo atrajo sobre ella. Lo deseaba, lo necesitaba. Tras acariciar su firme trasero musculoso, sus manos se movieron hacia la parte frontal del hombre y lo encontró más que listo para ella.

Sus lenguas se acariciaron con ardor, siguiendo el ritmo de las pulsaciones que retumbaban entre ellos. Eran como un mecanismo de precisión, cuyo único propósito era unir sus cuerpos y llegar al éxtasis.

Meredith empezó a moverse, pero él la detuvo.

–Espera, déjame a mí. Relájate.

De modo que ella permaneció tumbada sobre las suaves y frescas sábanas, y se sumergió en la magia de hacer el amor con Evan. Él movió una mano por su estómago, y los músculos de la mujer se tensaron de anticipación; se tomó su tiempo hasta que su mano descendió más y más, rozando la pelvis de ella y avanzando con lentitud enloquecedora hasta que finalmente acunó aquella parte de su cuerpo que lo deseaba tan desesperadamente.

Él se detuvo por un instante, mirándola a los ojos, un instante que dijo más que mil palabras, antes de deslizar los dedos dentro de su cuerpo y sumergirse profundamente en ella.

Las manos de Meredith se aferraron a las sábanas mientras Evan la llevaba a cimas que ni siquiera había imaginado; cerró los ojos y permitió que sucediera, mientras oleadas cálidas y frías la inundaban y se retorcía bajo sus cuidadosas caricias. Apenas podía respirar. Cada vez que estaba a punto de alcanzar la satisfacción él se detenía, hasta que finalmente permitió que llegara al clímax.

Con una sincronización perfecta, Evan descendió sobre ella, y Meredith sintió por fin la satisfacción de ser un solo ser con él. Había soñado con aquel momento. Sin aliento, abrió la boca y profundizó sus besos; la sensación era exquisita: el peso de Evan sobre ella, la sensación de él dentro de su cuerpo, las caricias de las manos masculinas en su cabello mientras la miraba a los ojos. Sentía que todo era perfecto.

Los dos gimieron de placer cuando su cuerpo aceptó el del hombre una y otra vez, y se movieron al unísono, lentamente al principio y después cada vez más rápido; finalmente, lo oyó contener el aliento y empujar una última vez, justo cuando ella volvió a sumergirse en el placer del éxtasis.

CAPÍTULO 15

EVAN se quedó allí tumbado, contemplándola mientras dormía. Había esperado aquello mucho tiempo; después de volver a hacer el amor con Meredith, tenía claro que las otras mujeres que había conocido palidecían a su lado.

No sabía cuánto tiempo estuvo allí mirándola, quizás una hora o más, pero finalmente decidió ir a beber un poco de agua. Había sido una noche larga y agotadora, y estaba sediento. Bajó por las escaleras y fue hasta la cocina; todo seguía estando en el mismo sitio. Los vasos en el armario a la derecha del horno, y el agua fría en una jarra en la nevera. Tras llenar un vaso y bebérselo con rapidez, se sirvió otro y se sentó frente al mostrador.

Y entonces fue cuando su propio nombre escrito en un papel le llamó la atención. Los documentos que Meredith había estado estudiando antes seguían allí.

Evan no había tenido intención de fisgonear; si no hubiera visto las palabras «Evan Hanson: impredecible» con el rabillo del ojo, no se habría dado cuenta de que los papeles aún estaban allí... a pesar de que en ellos aparecían escritos por todas partes los nombres de la empresa y de muchos de los miembros de su familia y de sus empleados.

Jack Hanson: hay que conservarlo. Valioso. Trabaja bien con Amanda.

Parker Lemming: cuentas sospechosas; hay que vigilarlo de cerca. No está claro si es incompetente o deshonesto.

Lily Harper: hay que conservarla tras la fusión; muy buena trabajadora, la competencia va tras ella.

David Hanson: buen trabajador, de confianza. Dedicado a su familia, pero no en detrimento de HMG.

Carla Cooper: muy prometedora, éxito asegurado. ¡Hay que lograr que se quede!

Andrew Hanson: en la línea correcta, pero hay que tenerlo controlado. No dará problemas.

Stephen???: se ocupa del correo, muy buenas posibilidades. Mantener y ascender.

Evan Hanson: impredecible.

Stephen, de correos, ni siquiera necesitaba que se especificara su apellido, y Meredith pensaba que tenía «muy buenas posibilidades»; pero había hecho incluso una lista con los pros y los contras de Evan.

Pros:
–*Tiene que proteger el apellido Hanson.*
–*Es competente cuando se lo propone.*
–*Está decidido a triunfar, aunque solo sea para demostrar que todos se equivocan con él.*
–*Respetado en la oficina y en el sector, aunque carece de experiencia.*
Contras:
–*No siempre parece importarle si la compañía de su padre arde en llamas.*

–Es posible que esté saboteando los esfuerzos de salvar la compañía como «venganza».

–Carece de experiencia para sacar las cosas adelante: aunque tenga buenas ideas para iniciar la recuperación de la sección de radio, quizás no tenga las agallas para llegar hasta el final.

–Un poco inmaduro, impulsivo. ¿Incapaz de comportarse profesionalmente?

–Tiende a salir corriendo cuando las cosas se ponen difíciles.

Evan leyó la lista un par de veces, mientras sacudía la cabeza con incredulidad; si eso era lo que pensaba, ¿por qué demonios acababa de acostarse con él? ¿Y por qué estaba documentando el rendimiento de los trabajadores de Hanson Media?, ¿por qué iba a importarle?

Ella era una empleada nueva, trabajaba en relaciones públicas, por Dios. Evan no tenía ni idea de qué tenía que ver eso con Jack, David, Samantha, Richard Warren o con nadie.

Pero... Evan le echó un vistazo a más papeles; cifras, organigramas, puntos fuertes y débiles, informes del *Wall Street Journal,* los activos de la competencia y su interés en adquirir la empresa. De pronto, todo quedó muy claro. Meredith era una espía corporativa.

La revelación lo dejó atónito. Una espía. Meredith, que siempre se había enorgullecido de ser tan honesta; Meredith, que consideraba que la honestidad era la principal virtud en los demás. Meredith, que acababa de derretirse en sus brazos y le había hecho sentir el hombre más afortunado sobre la faz de la tierra.

Todo era mentira.

Evan fue incapaz de moverse por unos minutos; no estaba seguro de la dirección que tomaría si se levantaba: hacia la calle, o hacia la habitación para despertarla y exigirle respuestas. No quería hacer ninguna de esas cosas sin pensarlo bien antes. ¿Por qué lo había hecho? La primera razón que se le ocurrió fue la venganza. Era imposible que Meredith supiera que él volvería para trabajar allí, así que su motivo inicial podría haber sido vengarse de la compañía que había arruinado a su padre.

La verdad era que Evan podía llegar a entenderlo; no era algo que admirara, pero entendía por qué Meredith podría sentirse así. Lo que no comprendía era cómo podía hacer el amor con él, sabiendo que estaba ayudando a alguien a robar la empresa de su familia. Incluso había enumerado para ello sus peores cualidades... o lo que ella consideraba así.

La Meredith que él conocía nunca habría sido capaz de tener relaciones sexuales con alguien para sacar algún provecho; o, aún peor, para beneficiar a su jefe, quienquiera que fuera. Pero eso era exactamente lo que había hecho la mujer que dormía en la habitación de arriba, y él no quería tener nada que ver con aquella trama.

Evan se levantó, fue hasta el fregadero y, como a cámara lenta, colocó el vaso en el lavavajillas; el pequeño gesto parecía irónico, comparado con la enormidad de los sentimientos con los que se debatía. Había arriesgado su corazón, ya que el amor siempre era un riesgo, y tendría que pagar el precio. Quizás incluso se lo merecía, después de lo que le había hecho a Meredith tanto tiempo atrás. Pensaría en ello más tarde.

La cuestión principal era decidir qué hacer respecto al engaño; Evan se había enfrentado a un dilema similar antes, cuando su propio padre había saboteado el negocio del de ella, y su decisión no había sido la correcta. Advertir a Meredith de forma velada y salir corriendo de la ciudad no había hecho ningún bien.

Esa vez, tendría que actuar con decisión; podía decirle a Meredith que sabía lo que estaba haciendo y exigirle respuestas, pero quizás ella no se las proporcionara. Y, cuando se supiera que la habían descubierto, quizás enviaran a otra persona en su lugar y él no tuviera la suerte de poder descubrirla. Quizás debería hablar con Helen.

Aquella debía de ser la solución; probablemente era el camino más maduro y responsable. También iba en contra de su propia naturaleza, pero Evan Hanson tenía que aprender a ser maduro, tal y como había afirmado la misma Meredith. Tenía que ser profesional.

Pero, más que nada, en ese momento tenía que salir de aquella casa.

Meredith despertó cuando el amanecer se filtraba ya por la ventana, sintiéndose inusitadamente feliz. Adormilada, tardó un minuto entero en recordar la razón, y entonces sonrió.

—¿Evan?

Desearía que estuviera en la cama junto a ella, pero debía de haberse levantado antes; quizás estuviera en la ducha, o en la cocina, preparando un café que sabría fatal, como siempre. Se levantó y fue hasta el cuarto de baño.

—¿Evan?

La respondió un silencio total: allí no había nadie. Pero era imposible, Evan no se marcharía sin más después de algo como lo de la noche anterior. Meredith recorrió la casa en su busca, llamándolo, hasta que finalmente llegó a la cocina; quizás había salido a comprar el desayuno, y le había dejado una nota.

Pero no había ni rastro de ninguna nota, y Meredith se quedó parada en medio de la cocina, preguntándose por un segundo si se había imaginado lo sucedido. De ser así, lo había hecho tan detalladamente que casi daba miedo. Pero no, estaba segura de que había sido real.

Se sentó frente al mostrador, molesta, intentando entender adónde habría podido ir Evan y por qué no le había dejado una nota. Pero de pronto lo comprendió todo:

«Hanson. Hanson. Hanson Media. Evan Hanson. Pros. Contras...», la respuesta estaba esparcida por el mostrador de la cocina; todas sus notas, todos sus informes y garabatos críticos sobre el propio Evan, estaban allí mismo, listos para que él los viera al levantarse.

Oh, Dios, él lo había visto todo. Ni siquiera tenía que especular sobre las posibles razones de su ausencia: Evan había visto la vida de Meredith expuesta sobre el mostrador, había entendido lo que ella estaba haciendo, y se había marchado. ¿Qué iba a hacer ella? Nunca se había enfrentado a una emergencia retorciéndose las manos y esperando temblorosa, y estaba claro que aquello era una emergencia, así que decidió tomar el toro por los cuernos e informar a su superior de lo sucedido.

No tenía sentido quedarse sentada, con la esperanza de que Evan no hubiera visto las pruebas evidentes que tenía ante él y estuviera comprando el desayuno, así que tomó la ducha más rápida de su vida, se secó el cabello en tiempo récord, dejó de lado el maquillaje y se vistió para ir al trabajo.

En aquel tiempo, Evan no apareció con una bolsa de

panecillos y una sonrisa tontorrona, así que era bastante obvio que no pensaba volver.

Cuarenta y cinco minutos después de darse cuenta de que Evan se había ido, Meredith estaba en su coche, de camino a admitir su descuido y a arriesgarse a
que la persona que la había contratado descargara su ira
contra ella.

Evan aún estaba preguntándose lo que iba a hacer
respecto al espionaje de Meredith cuando regresó al trabajo. No era nada fácil presentarse sin más en el despacho de Helen y contárselo todo; a lo mejor hubiera despedido a Meredith de haber estado en sus manos, para
ahorrarles, tanto a ella como a él mismo, la agonía del
castigo que Helen y Hanson Media seguramente impon-
drían a la mujer.

Tenía ganas de darse contra la pared por haber dejado que Meredith lo atrapara; ¿por qué había creído que
ella sentía lo mismo que él después de todos aquellos
años? Después de todo, siempre era más fácil ser la persona que se quedaba; ella había podido superar el dolor y la soledad, había seguido adelante con su vida, había tenido otras relaciones, había conseguido un oficio.

En cambio, Evan se había tomado unas largas vacaciones, trabajando en multitud de cosas en diferentes
lugares lejos de allí, y nunca había llegado a olvidarla.
Cuando había vuelto a Chicago, Meredith no se le iba de
la cabeza; y si no había bastado con volver y pensar en
ella, Helen había tenido que *contratarla,* por el amor de
Dios, y hacer que tuviera que trabajar codo a codo con él.

Era la peor mala suerte... o la mejor buena suerte;

eran todos los sentimientos conflictivos posibles, tanto los buenos como los malos, juntos en uno solo.

Para Evan, el tiempo pareció pasar más lentamente que nunca aquella mañana; cada vez que decidía que lo mejor era contarle a Helen lo que sucedía, cambiaba de opinión cuando aún no se había alejado más de un paso de su mesa, y volvía a sentarse para reconsiderar el problema.

Sin embargo, cuando decidía decirle a Meredith lo que sabía, había dos razones por las que dudaba también: en primer lugar, no quería que otro espía corporativo ocupara su puesto, alguien a quien era posible que no pudiera descubrir; y en segundo lugar, Evan no quería que ella se fuera.

Esa última razón era la que lo torturaba realmente; era un completo tonto al querer seguir teniendo a Meredith cerca, a pesar de saber que los estaba traicionando, a su familia y a él, de la peor de las maneras. Sin embargo, podía llegar a entender el porqué de sus acciones, ya que la mujer tenía una cuenta que saldar con George Hanson... y, en cierto modo, también con el mismo Evan.

Después de darle vueltas a la situación una y otra vez, finalmente decidió que incluso si ella creía que tenía razones suficientes para vengarse de los Hanson, el principal motivo seguía siendo él; de modo que no podía quedarse sentado y permitir que las futuras generaciones de la familia, los hijos de sus hermanos, quedaran arruinados por culpa de un error que él había cometido.

Fuera lo que fuese lo que Meredith estaba haciendo, la culpa era de él, de la forma en que su padre y él habían tratado a su familia y a ella. Era hora de que Evan arreglara las cosas, pero por desgracia no iba a poder hacerlo para ella si lo hacía para la compañía; iba a tener que afrontar aquello de forma madura y profesional, a pesar de la opinión de Meredith.

Sin embargo, a las cuatro y media de la tarde, Evan aún no había ido al despacho de Helen a contárselo todo; tomar la decisión era una cosa, pero dar realmente el paso era completamente diferente. No quería hacerlo.

Pero cuando Helen lo llamó a su despacho poco antes de las cinco, Evan se dio cuenta de que no podía aplazarlo más. Iba a tener que hacer algo.

CAPÍTULO 16

MIENTRAS se acercaba al despacho de Helen, Evan decidió que hablaría de aquello en privado con Meredith. Sí, su lealtad debería estar con la compañía, sobre todo teniendo en cuenta las circunstancias, pero no podía echar a la mujer a las fieras sin más, sin importar lo que hubiera hecho. Podía arruinarla desde el punto de vista profesional, y no quería hacerlo.

Su decisión cristalizó cuando se la encontró en la puerta del despacho de Helen.

–Evan –dijo ella, sobresaltada al verlo.

Daba la impresión de que acababa de salir del despacho, y parecía bastante afectada.

–Te fuiste muy temprano –continuó diciendo ella.

¿Había sido aquella mañana? Evan había pasado tanto tiempo intentando decidir lo que iba a hacer, que parecía que habían pasado días en vez de horas.

–Tenía que venir a trabajar –contestó.

Ella enarcó una ceja, y preguntó:

–¿Solo te fuiste por eso?

–¿Qué otra razón podría tener? –dijo él con intención.

Ella tragó visiblemente, pero le sostuvo la mirada sin retroceder.

–Pensé que quizás habías cambiado de opinión sobre mí, por alguna razón.

–Yo no soy el que ha cambiado, Meredith.

Ella respiró hondo, pareció a punto de decir algo, y se detuvo. Allí, de pie frente a él, parecía casi vulnerable, además de muy tentadora con su deslumbrante cabellera suelta enmarcando un rostro que seguía siendo juvenil. ¿Era su imaginación, o sus mejillas aún conservaban algo del brillo arrebolado que las había encendido la noche anterior, después de hacer el amor?

No importaba, aquello había sido un error que era muy poco probable que volviera a cometer.

–¿Has venido a ver a Helen? –preguntó Meredith con voz insegura.

–Sí. ¿Adónde vas?

¿Acaso se iba a su casa?, ¿la había descubierto Helen y la había despedido?

–A mi despacho; David tiene un montón de trabajo listo para mí, y por supuesto, tú y yo tenemos que ultimar los detalles de la nueva campaña de promoción.

Era una locura, pero parte de él se alegraba de saber que Meredith continuaría en la oficina; era probable que la mujer decidiera marcharse cuando él hablara con ella, pero mientras tanto, seguiría estando allí.

–Te llamaré cuando acabe mi reunión con Helen –dijo él–; ¿vas a quedarte hasta muy tarde?

–Esperaré lo que haga falta; puedo trabajar toda la noche, si es necesario –se ruborizó y bajó la mirada.

Evan tenía en la punta de la lengua un comentario juguetón acerca de trabajar con ella toda la noche, pero tuvo que recordarse que las cosas habían cambiado; a pesar de la noche anterior, Meredith y él no podían tener una relación cómoda. El tenso momento se alargó entre ellos, y al final Evan dijo:

–Será mejor que entre –hizo un gesto vago en dirección al despacho de Helen.

Meredith asintió y retrocedió unos pasos, para dejar que pasara.

–Te veré luego –dijo.

Evan habría podido jurar que la oyó añadir en voz baja «al menos, eso espero».

Tras entrar en el silencioso despacho de Helen y cerrar la puerta tras él, se sentó con inquietud en la silla que había frente a la mujer.

–Iré directa al grano –dijo Helen desde el otro lado de su mesa–; en Hanson Media, no todo es lo que parece.

Eso era muy cierto, pero Evan permaneció sentado sin decir nada, esperando a que ella continuara. Finalmente, ella añadió:

–Quiero decir que no todo el mundo es lo que parece.

Evan asintió de forma evasiva, y comentó:

–Las personas rara vez lo son.

–Creo que sabes de lo que estoy hablando, Evan.

–¿Por qué no me lo deletreas? –dijo él, mirándola a los ojos.

–Estoy hablando de Meredith Waters; ha estado trabajando para otra empresa, recabando información sobre Hanson Media para determinar su viabilidad para una posible fusión.

–¿Qué otra empresa?

–La TAKA Corporation.

–¿El grupo japonés? –Evan había hecho sus deberes sobre el sector de las comunicaciones, y sabía que aquella compañía era gigantesca.

–Exacto –asintió Helen.

–¿Y no te preocupa la situación?

La mujer entrelazó las manos sobre la mesa frente a ella, y miró a su hijastro directamente a los ojos.

–No, Evan. Fui yo quien contactó con TAKA y les propuse una fusión.

Hizo falta un largo momento de silencio para que Evan pudiera digerir aquello, e incluso entonces no podía creer que lo había oído bien. Al fin, consiguió decir:

–Perdona, pero creo que no te entiendo.

Ella respiró hondo y dudó un segundo antes de explicarse.

–No me gusta la idea de tener que compartir la dirección de Hanson con nadie, no quiero cambiar la estructura que la empresa ha tenido durante tantos años. Tu padre trabajó duro para construir este imperio, y me gustaría que pudiera seguir adelante sin él, tal y como él lo había imaginado.

Evan se sorprendió tanto por su vehemencia como por su apoyo total a George.

–Realmente lo amabas, ¿verdad?

–Sí, y respeto lo que construyó. Pero los tiempos han cambiado desde que Hanson adquirió su poder; hoy día, el mercado de las comunicaciones es tan amplio, que es difícil construir un monopolio. Y si una empresa no lo consigue, corre el riesgo de hundirse por completo.

–Que es de lo que tenías miedo cuando hablamos por primera vez de la posibilidad de que me quedara, para intentar ayudar a mantenernos a flote.

–Exactamente –Helen asintió, y continuó–: y es lo que sigo temiendo. Si Hanson no recibe un empujón, va a tener que tirar la toalla, y el interés de TAKA puede ser ese impulso que necesitamos –se reclinó en su asiento, y suspiró–. Lo cierto es que ninguna otra compañía ha mostrado el más mínimo interés en una fusión.

–Así que TAKA es tu única esperanza.

Ella volvió a asentir, y contestó:

–Eso parece.

–Por lo que pude ver, están recibiendo información bastante específica; montones de datos sobre riesgos financieros, y cosas así. ¿Qué pasa si quieren absorber a Hanson Media, en vez de una fusión? En ese caso, la compañía estaría tan perdida como si se declarara en bancarrota, quizás incluso aún más.

–No permitiré una acción hostil contra esta compañía –dijo Helen con firmeza–; eso te lo aseguro. De hecho, puedes comprobarlo por ti mismo; me gustaría que me acompañaras a Japón de inmediato, para reunirnos con Ichiro Kobayashi. Hay que calmar sus temores sobre tu último fichaje, Lenny Doss, y preferiría que lo hicieras tú en persona, ahora que todo ha salido a la luz.

¿Se iba a Japón enseguida? Qué demonios... no era tan raro, comparado con todas las cosas que le habían sucedido últimamente.

–De acuerdo.

–Me voy mañana; ¿puedo decirle a Sonia que haga una reserva a tu nombre para que me acompañes?

Él asintió, y abrió los brazos de par en par.

–Estoy a tu disposición.

Ella llamó por el interfono a Sonia y le pidió que reservara una plaza para Evan en el avión y en el hotel; él esperó, mientras intentaba procesar toda aquella nueva información. Finalmente, Helen cortó la comunicación y le sonrió.

–Gracias, Evan. Sé que todo esto es muy repentino y sorprendente, pero creo que es lo mejor que podemos hacer. Quizás después de que hayas conocido tú mismo a los directivos de TAKA, podrás convencer a los demás de que este es un paso en la dirección adecuada.

–Ya veremos –Evan pensó bien su siguiente pregunta antes de formularla–: de modo que TAKA expresó su interés en una fusión, y tú decidiste que no estabas totalmente en contra de la idea. Lo que quiero saber es, ¿dónde encaja Meredith en todo esto? ¿Descubriste su doble juego, y la obligaste a que te contara la verdad?

–No –Helen soltó una pequeña risita y negó con la cabeza–; no, nada parecido. Meredith está aquí, reuniendo toda la información relevante para TAKA, porque yo la contraté para que lo hiciera.

Evan volvió a su despacho aún más confundido que cuando salió de él; dos meses atrás, había estado lo más lejos posible de aquel país y de aquel tipo de vida, y de repente se encontraba en medio de toda la acción: ganancias, pérdidas, fusiones, absorciones, y espionaje corporativo.

En ese momento, no le iría nada mal un buen trago de tequila.

Pero solo consiguió más de lo mismo: entró en el despacho que estaba empezando a aborrecer, se sentó frente a una mesa que empezaba a detestar, y llamó a la mujer que estaba empezando a amar.

Meredith apareció cinco minutos más tarde; parecía demacrada y cansada.

–¿Te ha dicho Helen... lo que pasa?

–¿Que eres una espía a las órdenes de TAKA? –preguntó Evan con tono despreocupado–, sí, lo ha mencionado.

–Pero tú ya lo sabías.

Él se encogió de hombros expresivamente, y admitió:

–Sabía que estabas espiando para alguien.

–Evan, siento de verdad no haber podido decírtelo, pero es mi trabajo actuar con discreción. Si te hubiera confesado lo que estaba haciendo, podría haber puesto en peligro todos los planes de Helen.

–Eso sería cierto, suponiendo que yo no fuera de fiar.

Ella hizo una mueca y contestó:

–No estaba segura, sigo sin estarlo. Sé que estás enfadado porque te mentí, y no te culpo por ello, pero no sé de qué lado estás.

–Bueno, ahí ya somos dos.

–Te das cuenta, ¿no? –Meredith se acercó a él y se apoyó sobre la mesa, cerca de donde él estaba sentado–. Ves por qué no podía decírtelo.

–Sí, supongo que lo entiendo, en teoría; pero en la práctica... no estoy tan seguro. ¿Anoche formó parte de tu trabajo, o fue algo extracurricular?

Meredith tardó un momento en comprender lo que le estaba preguntando, y él supo el momento exacto en el que sucedió. Los ojos de la mujer se agrandaron, y pareció fulminarlo con la mirada.

–¿Me estás preguntando si me acosté contigo para conseguir información sobre la empresa?

Caramba, sonaba bastante duro dicho de aquella manera.

–Me pregunto lo que significó para ti lo de anoche,

Meredith, y cómo encaja en tus planes para ayudar a la absorción de la empresa de mi familia.

Los ojos de ella ardían de furia.

—Si Helen te ha explicado lo que sucede, entonces ya sabes que esta fusión es la única forma de salvar la compañía. Mis esfuerzos ayudarán a tu familia, no la perjudicarán.

—Así que esto ha sido algo altruista por tu parte.

—No, esto ha sido un trabajo para mí —Meredith levantó la barbilla en gesto desafiante, y añadió—: no me importaba para qué quisiera la información Helen; me pidió que la consiguiera, y yo lo hice.

—Así que...

—Pero —lo interrumpió ella—, en cuanto lo hice, me explicó lo que pretendía hacer, y que lo estaba haciendo por el bien de tu empresa y de tu familia. Así que cuando sucedió lo de anoche, yo sabía perfectamente que no estaba dañando a nadie, ni a ti ni a la compañía de tu padre... aunque él se lo hubiera merecido con creces.

Ella tenía razón, y Evan lo sabía. Sus razonamientos eran completamente legítimos, ¿cómo podía cuestionarlos? Se levantó, cerniéndose sobre ella, pero Meredith no se movió ni se acobardó.

—¿Tuvo anoche algo que ver con esta posible fusión?

—No —contestó ella con tono calmado—; ¿acaso hablamos del trabajo anoche? De hecho, ¿te pedí que vinieras a mi casa, o te presentaste allí por tu propia cuenta?

Vale, aquello era cierto.

—Quizás lo planeaste.

—Difícil, a menos que fuera vidente.

—Quizás apostaste por correr el riesgo, y te salió bien la jugada.

–Entonces no habría sido tan estúpida como para dejar todas las pruebas a la vista para que pudieras descubrirlas, ¿no crees? O no habría sido tan estúpida como para quedarme dormida y permitir que te pasearas por la casa y encontraras unas pruebas que supuestamente eran tan secretas.

Era difícil discutir ese punto.

–Entonces, ¿por qué te acostaste conmigo, sabiendo que estabas conspirando contra la empresa de mi familia?

Ella le lanzó una mirada exasperada, y contestó:

–En primer lugar, no estaba conspirando contra nadie, y en segundo lugar, no tenía nada que ver con mi trabajo. Al menos, no para mí –ella se movió ligeramente, y adoptó una postura más beligerante–. ¿Qué me dices de ti?, ¿cuál fue tu motivación, Evan?

–La mía... mis motivos fueron...

La atrajo hacia sí, y sus labios descendieron sobre la boca de ella. El tórrido deseo que lo inundó lo tomó por sorpresa, aunque era algo que había sentido en todas sus interacciones con ella, desde que Meredith había entrado a formar parte de la compañía.

Aquello no era nada bueno.

–Mis motivos no importan –acabó él, en un tono poco convincente–. Mira, tengo que irme; mañana tengo que tomar un vuelo a Japón con Helen para conocer a tus jefes, y necesito descansar un poco.

–Ellos no son mis jefes –objetó Meredith–; mi jefa es Helen, igual que en tu caso.

Evan sentía que la cabeza le daba vueltas; lo único que sabía con seguridad era que no podía continuar con aquella conversación en aquel momento.

–Es posible que dentro de poco sean tus jefes –dijo–; pero tengo que ir hasta allí y asegurarme de que eso será lo mejor para la familia.

–Y para la empresa.

–La empresa es la familia –contestó él, sintiéndolo de corazón por primera vez en su vida–. ¿Puedes decirme algo que me sirva de ayuda en las negociaciones con TAKA?

Meredith asintió.

–Que la sección de radio ya tiene buenas perspectivas, gracias al anuncio de la incorporación de Lenny Doss; tomaste una buena decisión en ese sentido. Con eso conseguiremos atrapar a buena parte de los oyentes de entre dieciocho y treinta y cuatro años. La doctora Ebony Lyle, que emitirá por las tardes, atraerá a las mujeres del mismo rango de edades; en cuanto a las incorporaciones en deportes, su audiencia la componen principalmente los hombres de entre dieciocho y sesenta y tres años. Lo has hecho muy bien –concluyó Meredith.

Ella también. Evan odiaba tener que admitirlo, pero estaba realmente impresionado con los datos que Meredith había conseguido reunir tan pronto. De hecho, le asombraba todo lo que hacía aquella mujer, aunque aquello no suponía ninguna sorpresa para él; ella siempre había sido hábil, inteligente y creativa.

Sin embargo, nunca había formado parte de la vida diaria de Evan; durante doce años, y a pesar de que se había acordado de ella a menudo, él había conseguido vivir sin aquella mujer día tras día. Sin embargo, no estaba seguro de poder seguir haciéndolo.

Evan se había dado cuenta de que su deseo de estar cerca de ella había ido creciendo cada vez más, que la buscaba cuando no la veía, que intentaba oír su voz. La necesitaba junto a él, era un hombre mejor cuando Meredith estaba a su lado.

Pero lo peor era que Evan se sentía incompleto sin ella; y aquello lo aterrorizaba.

CAPÍTULO 17

EVAN jamás había experimentado un silencio similar al que reinaba en las oficinas de TAKA; le daba escalofríos. En casa, las oficinas de Hanson siempre bu-
llían de actividad, aunque aquellos días hubiera muchos
puestos desocupados. Pero la empresa japonesa funcio-
naba como un mecanismo de precisión; no había rastro
de actividad ruidosa y frenética, solo un zumbido sordo.

Evan y Helen estaban sentados en la sala de juntas
con Richard Warren, el abogado de la mujer, mientras
discutían los detalles de la fusión. Cuando le pidieron a
Evan que explicara todo lo concerniente a la sección de
radio, él contestó sin problemas todas las cuestiones que
se le plantearon; jamás habría imaginado que podría sentirse tan cómodo en aquel tipo de negociaciones.

Cuando la reunión terminó, Richard y Evan se quedaron hablando en el pasillo.

–Me preocupa que mencionaran la palabra «absorción» –dijo Evan–; ¿forma parte del lenguaje normal en
estos casos, o están pensando en quedarse con la empresa, en vez de buscar una fusión?

Richard respiró hondo, y contestó:

–No lo sé; a mí también me preocupa lo mismo.

Aquellas palabras no consiguieron que Evan se sintiera mejor.

–Me pregunto lo que piensa Helen de todo esto –la vio con el rabillo del ojo, y la llamó–: Helen...

La mujer que se detuvo y lo miró no era Helen; además de tener el cabello cobrizo, era varias décadas más joven que su madrastra. Evan reaccionó tardíamente y dijo:

–Perdone, la he confundido con otra persona.

Finalmente, Helen apareció; aliviado al verla, Evan le preguntó:

–¿Es que TAKA pretende conseguir una absorción en vez de una fusión?

–Lo que yo quiero es una fusión –dijo ella con firmeza–; y el que hayas venido y les hayas hablado del potencial de Hanson ha sido de gran ayuda en ese sentido. Gracias.

–Espero que haya servido de verdad –dijo él con cierto tono de duda.

–Ha sido así, de veras –Helen se mostraba completamente confiada–; créeme, las cosas van exactamente como yo quería.

Llegaron a las oficinas de Hanson Media bastante tarde; como Evan se había detenido para comprar algo para comer por el camino, Helen había llegado al edificio antes que él. Cuando el hombre llegó, se dio cuenta de que su madrastra parecía ser la única persona que quedaba en la oficina.

Helen lo detuvo cuando Evan se dirigía hacia su despacho.

–Tienes que hablar con Meredith.

–¿Qué?

—Está aquí, y quiere dimitir.

—¿Dimitir? —repitió él, paralizado—; ¿por qué?

—Porque se considera un impedimento para que te sientas a gusto aquí; me ha estado hablando de lo bien que lo estás haciendo, y me ha dicho que no quiere ser un estorbo para ti.

—Pero ella tiene mucho que ver con lo bien que lo estoy haciendo —contestó Evan.

Helen asintió.

—Ha sido una gran suerte tenerla con nosotros, eso está claro.

Algo en el tono de la mujer hizo que Evan vacilara por un segundo; finalmente, dijo:

—Tú lo sabías, ¿verdad?

Helen adoptó una expresión inocente... demasiado inocente.

—¿Qué es lo que sabía? —preguntó.

—Lo que hubo entre Meredith y yo; conocías nuestro pasado, por eso nos pusiste a trabajar juntos.

—Tanto Meredith como tú sois buenos trabajadores, y lo habéis hecho muy bien juntos —contestó ella.

Sin embargo, la rápida mirada que la mujer dirigió hacia el suelo le dijo a Evan todo lo que necesitaba saber.

—No puedes compensarnos por lo que nos hizo mi padre —dijo con voz suave.

Ella se encogió de hombros y sonrió ligeramente.

—Pero puedo arreglar en parte las cosas.

Él sacudió la cabeza y la abrazó.

—Eres increíble. Desearía haberte conocido hace años.

Helen pareció complacida por aquellas palabras, y contestó:

–Yo también. Y ahora, ve al despacho de Meredith y evita que se vaya; yo tengo que irme, y el servicio de limpieza ya ha hecho su trabajo, así que estaréis completamente solos –su tono estaba cargado de intención–; así que acuérdate de cerrar con llave cuando salgáis, si es que lo hacéis.

Helen no esperó a que Evan respondiera, se limitó a mirarlo con una sonrisa pícara y a guiñarle el ojo, y se fue.

Él se apresuró a ir al despacho de Meredith; se detuvo frente a la puerta, y la observó mientras ella transfería sus cosas de su mesa a una caja. Los movimientos de la mujer eran tristes, pausados.

–¿Qué crees que estás haciendo? –le preguntó él.

–Tengo un nuevo trabajo.

–Eso no es verdad; lo que pasa es que quieres dejar este.

–Estás muy equivocado.

–Helen me lo ha dicho –Evan caminó hacia ella, y continuó–: de hecho, me ha dicho muchas cosas. ¿Sabías que conocía lo nuestro antes de contratarnos?

El rostro de Meredith reflejó una sorpresa tan genuina, que él supo de inmediato que ella no había tenido ni idea.

–¿Nos tendió una trampa?

Él tomó las manos de la mujer en las suyas, y admitió:

–Eso me temo; y, aún peor, predijo exactamente lo que iba a ocurrir.

–¿El qué? –preguntó ella, mirándolo a los ojos.

–Volvimos a enamorarnos.

–¿Tú...? ¿Estás diciendo que me quieres?

–Cariño, siempre te he amado; lo que estoy diciendo es que por fin me he dado cuenta.

Meredith contuvo la respiración.

—¿Así que no quieres que me vaya?

—Si lo haces, yo también me iré —Evan sonrió—; y ya sabes lo difícil que es mantenerme apartado del mundo de los negocios.

Meredith soltó una carcajada.

—Entonces, ¿qué hacemos ahora?

—Me alegro de que me hagas esa pregunta —dijo él, y sus labios descendieron sobre la boca de la mujer.

En cuanto sus labios se tocaron, Evan sintió como si un latigazo eléctrico saltara desde su cuerpo hacia ella. Sus dedos se tensaron sobre los hombros femeninos, y la acercó aún más hacia sí. Quería que ella se quedara con él, que no se apartara de él diciendo que aquello era un error.

Evan se cernió sobre ella unos segundos, rozando apenas los labios de Meredith; su aliento se entremezcló, y la mujer empezó a temblar.

—¿Qué te parece mi plan de momento? —preguntó él.

—Por ahora, me parece perfecto.

Evan jamás había sentido una oleada tan poderosa de deseo; el beso pasó de ser voraz a destilar dulzura, y después volvió a transformarse en una apasionada caricia. Durante un largo instante se separaron ligeramente, rozándose apenas con los labios, provocándose, incitándose a ir más lejos.

A una distancia tan corta, el aroma de Meredith era embriagador... dulce y floral, con unos matices que él conocía bien.

Ella levantó una mano hasta la mejilla del hombre, que estaba áspera por una barba incipiente, y sus dedos acariciaron el contorno del rostro masculino. Ninguno era capaz de encontrar las palabras adecuadas; la única forma que tenían para expresarse eran sus movimientos.

Cuando Evan bajó las manos por la espalda de ella, Meredith se arqueó contra él, y su pelvis presionó contra la erección creciente del hombre. Él la deseaba.

Con un rápido gesto, Evan barrió todas las cosas que habían sobre la mesa de Meredith, sin importarle que todo cayera al suelo. Lentamente, colocó a la mujer sobre la superficie despejada y se colocó sobre ella.

Meredith permitió que su cuerpo se amoldara bajo el de él, y dejó que Evan dictara el camino a seguir, respondiendo a cada movimiento de él con uno complementario. Los brazos del hombre se tensaron alrededor de su cintura, y él continuó besándola; tras salpicar de besos su mandíbula, fue bajando hasta los hombros de la mujer.

–¿Significa esto que me perdonas por haberte mentido? –preguntó ella, sin aliento, contra el cuello de él.

–Solo si tú me perdonas a mí por todas las estupideces que he hecho.

–Eso podría llevarme mucho tiempo –respondió ella con una risita–. Espero que lo tengas.

–Tengo todo el tiempo del mundo –la acercó aún más.

Ella levantó los brazos para que descansaran sobre sus hombros, y enredó los dedos en su cabello.

–Prométeme que no volveremos a separarnos.

–Te lo prometo.

Él deslizó las manos por todo su cuerpo, y la besó con dulzura; los labios de Meredith se abrieron bajo los suyos, y Evan profundizó el beso, excitado por el sabor de ella, que aún recordaba.

Había pasado mucho tiempo, y era obvio que ella había ganado experiencia con los años y, sin embargo, había algo en ella que no solo le resultaba familiar, sino que además hacía que Evan sintiera una sensación de completa plenitud.

Tras bajar lentamente las manos por los costados de la mujer y rodearla por la cintura, Evan la apretó aún más contra su propio cuerpo, contra la evidencia de su propio deseo hacia ella.

Meredith deslizó las manos hacia abajo por sus hombros y sus costados, poco a poco, como si supiera que cada milímetro avivaba el deseo del hombre; ciertamente, Evan daba la impresión de estar cobrando vida bajo sus caricias. Ella no había disfrutado de aquellas sensaciones en años.

De hecho, ni siquiera estaba segura de haberlas sentido en el pasado.

Meredith solo sabía que, en cuanto había visto a Evan de nuevo, había sentido que algo la atraía hacia él, a pesar de que habían transcurrido doce amargos años. Y en ese momento, sospechó que él había sentido lo mismo. Deslizó las manos por el estómago del hombre, y finalmente las posó sobre su pecho; la piel masculina era cálida contra la suya, parecía a punto de arder en llamas.

Evan acarició la parte baja de su espalda, y Meredith se sintió hermosa; el cuerpo femenino se amoldaba suavemente contra el de él, y el hombre desprendía calor, a pesar de que el aire acondicionado estaba funcionando al máximo.

Cuando Evan se deslizó por fin dentro de su cuerpo y sació su deseo, la mujer sintió como si acabaran de darle un vaso de agua después de pasar cuatro días sedien-

187

ta. Aquello ya no era solo un acto para obtener placer, se había convertido en una cuestión de supervivencia; y, al menos por aquel momento, ella había encontrado con Evan la forma de sobrevivir a aquella vida loca que le había tocado vivir.

Con Evan, Meredith sabía que podría sobrevivir a cualquier cosa.

Bianca

¡Se vio obligado a recurrir a la sensualidad con el fin de vencer la resistencia de su prometida!

El rey Reza, prometido con la princesa Magdalena desde la infancia, por fin había abandonado la búsqueda de su prometida. Pero la sorprendente aparición de una fotografía de la elusiva princesa avivó una vez más la leyenda que había cautivado a su nación… Y a Reza no le quedó más remedio que reiniciar la búsqueda y exigir el derecho a su reina.

Para Maggie, camarera de profesión, la historia de su familia era un misterio. Y aunque, con frecuencia, había soñado con su príncipe azul, nunca le había imaginado tan extraordinariamente guapo como Reza. Pero su naturaleza independiente no le permitía aceptar lo que era un derecho de nacimiento a menos que se cumplieran ciertas condiciones.

NOVIA POR REAL DECRETO

CAITLIN CREWS

NOVIA POR REAL DECRETO

CAITLIN CREWS

N° 2564

Seducción en el desierto...

Desde su hostil primer encuentro hasta su último beso
embriagador, la bailarina de
cabaret Sylvie Devereux y el
jeque Arkim Al-Sahid habían
tenido sus diferencias. Y su
relación empeoró cuando
Sylvie interrumpió pública-
mente el matrimonio de conveniencia de él con la adora-
da hermana de ella.

Arkim quería vengarse de la
seductora pecadora que le
había costado la reputación
respetable que tanto necesitaba.

La atrajo a su lujoso palacio
del desierto con la idea de
sacarla de sus pensamientos
de una vez por todas, pero
resultó que, sin las lentejue-
las y el descaro, Sylvie era
sorprendentemente vulnerable... Y guardaba un secreto
más para el que Arkim no
estaba preparado: su ino-
cencia.

EL JEQUE Y
LA BAILARINA

ABBY GREEN

N° 2565

Bianca

**De sencilla secretaria…
a su esclava bajo sábanas de satén**

Ricardo Castellari siempre
ha visto a Angie como su ca-
llada secretaria… hasta que
ella se pone un vestido rojo
de seda que le marca todas
las curvas. ¡A partir de ese
momento, Ricardo no puede
apartar los ojos de ella!
Angie no puede negarse a
una noche de exquisito placer con Ricardo. Pero, cuando regresa a la oficina, se
siente avergonzada. Intenta
dejar el trabajo. Sin embargo, Ricardo tiene otra idea
en mente… Antes de dejar
su empleo, Angie deberá de-
dicarle unos días más como
su amante…

PASIÓN EN LA TOSCANA

SHARON KENDRICK

N° 2566